MW00618679

Teacher's Book
"Let's Teach Russian!"

Part 2 of the set **"I Want To Speak Russian!"**

Written by **Janna L. Lelchuk**

Second Edition, 2003
Revised and expanded

Acknowledgments:
A special thanks goes to all students who presented their writings used as samples in this book

Library of Congress Control Number: 2003102491

ISBN 0-9661269-1-2

Printed in the United States of America

Pacific Exchange Books
pacificx@gci.net

Table of Contents

Russian Language in the USA

The interest to the Russian language in the Unites States has its history. In the beginning, there were just individual efforts of people who wanted to establish trade and diplomatic relationships with Russia. Other individuals wanted to learn more about cultural life of Russia, its literature and scientific development. Those first efforts refer to 1809, and are connected with first Russian merchants to Aleutian Islands. Later, in 1896, Russian was officially introduced to Harvard University's curriculum.

There are four main periods in Russian language studies in the US: each one is characterized by its own historical reasons and, therefore, by specific methods and techniques that were born as a result of their time.

The first period covers 1896-1942. In the beginning of that period there were no numerous contacts with Russia, and the new language was more like a way to world spiritual and art values. Later, during World War I and October revolution in Russia, there was a real interest in Russian. Russian was included into curriculum of 32 American Universities. That was the time when first Russian textbooks were developed, but the theory of teaching methods was not in place yet.

The second period, 1943-1949, fell on World War II, when there was a strong need in Russian language knowledge in connection with joint Russian-American military activities. This is the time when first associations of teachers were created and first real efforts in methods of teaching Russian were made. By 1945, there were 212 colleges and 3 high schools in America that offered Russian totaling in 35,000 Russian language learners. All methods of teaching were subordinated to written grammatical method: lexical units (vocabulary) were introduced only in connection with grammatical structures. Phonetics and oral communication were neglected.

The next period begins in 1950 and lasts through 1985. It is characterized by waves of rises and falls. It was the time of cold war between America and Russia, and a lot of schools offering Russian, had to cancel their programs. Only in 1958, with first successful space explorations in Russia, the situation changed: Russian came back to American schools, including 450 secondary schools. Russian was acknowledged as one of the leading languages of science; therefore, the language was mostly taught to scientists. Numerous TV and radio programs embraced more than 12,000 people. From that time and until 1985, the Russian learning wave goes up and down a few times. Grammatical approach still prevails, accompanied by reading and translating method: it is important to learn to read and understand Russian scientific and political texts.

The last period begins with "perestroika" led by M. Gorbachev. The iron curtain fell and the cold war ended. With Russian borders opened to and from the west, there was a huge need in Russian language learning not only for scientists and diplomats, but for business people, people of social services and public relations. Million of American and Russian individuals wanted to establish different kinds of contacts between the two countries. The peak of the interest falls on beginning of 90s, when the number of Russian language learners was the largest in the history of Russian language learning in the United States. The fact that Russia was closed to Americans for more than 70 years and then suddenly became so easily accessible to everyone, played its important role: thousands of people excited by "Gorby", "perestroika", new changes and positive perspectives in the future, were inspired to learn Russian. That was the time, when a lot of new methods were developed specifically for learning different aspects of Russian: basic conversation, business, political, travel, etc. Consequently, the demand in international cooperation in various areas and on different levels dictated the development of new teaching methods, mostly based on communicative approach: oral communicative, audio-lingual, TPR, etc. New methods and techniques were being developed, and new textbooks and manuals created.

Today, there is a big concern regarding the decrease in Russian language learning in comparison with 90s. At the end of 90s, the number of people learning Russian significantly decreased. However, this is a natural process: a process of stabilization of the Russian language in America: most unmotivated people, who rushed to learn Russian just because it was a popular language, dropped out. Only people who really feel the need in learning Russian, and people who connect their future with this language and country, remain committed to it. This group of Russian language learners will stay as long as economic and political life in the United States has a demand for Russian.

The suggested course "I Want To Speak Russian" is designed to satisfy the need in communication between people speaking two different languages: English and Russian. It presents a combinations of different teaching methods. The textbook is designed mostly for school and college students who do not major in Russian and learn Russian to be able to communicate with native speakers on different levels. In other words, it should satisfy the goal of "global communication" reflected in most educational standards for world languages. For that purpose, we offer a well balanced teaching system which incorporates methods based of oral approach in combination with grammatical, reading, writing, translating, and audio-lingual techniques. For the first time, a method of total physical response (TPR) is not only suggested for teaching Russian but is fully presented along with a comprehensive system of exercises and lesson plans.

The new course is a result of the author's ten year work in schools and colleges in teaching Russian and English as a foreign languages and twenty year studies in theory of teaching foreign languages. It is based on contemporary materials and teaches not only the language but also elements of Russian culture and literature.

From the author: about the course "I Want To Speak Russian!"

Dear educator,

Thank you for choosing the course **"I Want To Speak Russian!"**
I hope that you will find it useful in your work with students.

Though the book has an introduction which explains how to use it, I would like to make some additional comments which you may find useful.

The course "I Want To Speak Russian!" consists of two books: one is a textbook "I Want To Speak Russian!" with all grammar rules, vocabulary, texts and exercises; the other one is this teacher manual "Let's Teach Russian!" with lesson plans, recommendations, translations, tests, and answer keys. For teaching in school, your students will only need the textbook, while you as a teacher may find it convenient to have the teacher manual, too. There is also an audio support: everything marked with a symbol ⊛ in the textbook is recorded, and all pages are numbered on the recording for your convenience.

I use this book in my classroom for three years: beginning, intermediate, and advanced Russian. You may be surprised by this fact, as the book does not look very big. Yet, it has enough materials, both grammatical and lexical, for students to master during a long period of time.

Russian 1

The **first quarter** of the school year usually begins with the alphabet, when you teach your students how to read and write. For this purpose we only use the _Alphabet_ on page 1 and _words for reading_ on pages 2 and 3 in the textbook. Normally, we spend a whole month learning Russian letters: how to write them, how to spell and read simple words (which can be taken from any English-Russian Dictionary). In this manual you will find some helpful information about how to teach the Russian Alphabet.

During the second month, we cover pages 5-17. Students get familiar with their first vocabulary: _"family"_ (p.5) and _"school"_ (p.11); they learn _personal pronouns_ (p.5) and _basic conversational phrases_ (p.8); they also learn their first grammar: _gender_ (p.13) and _plurals_ (p.14); they learn _how to count_ in Russian (p.15).

The grammatical material is presented in the form of _Simple Charts_. They really are simple: I was trying to avoid the use of numerous and not always necessary exceptions (existing in almost every grammatical rule of the Russian language), and concentrate mostly on what is most important.

There are a lot of exercises offered in that part of the book. However, every teacher needs to be creative in using those exercises. They are not just for

3

writing. Every day when you start your lesson, make your students talk a little: make them ask and answer questions of the type:

Как тебя зовут?

Сколько тебе лет?

Как дела? Как мама? Как папа?

Где мама? Где папа?

У тебя есть собака? У тебя есть кот?

Dialogues on p. 9 and 10 are good examples of how to do this. Repetition never hurts: the more students repeat, the better they learn. My students always like when we do conversations in a game form. For example, I give them a situation:"You are going to town and suddenly meet your friend. What is your reaction?", or "You go on a tour bus and want to get acquainted with a person sitting next to you. What would you say?", or "You call your friend on the phone but he is not at home. Speak with his sister. What would you say to her?" A lot of interesting activities and games could be arranged with "school supplies" and numbers.

The most difficult part on these pages is "Plurals". It is always confusing when and how to use plural endings. In addition to exercises in the book, you may come up with other assignments like: "Look around, make a list of things you see, then pluralize the words".

*During the **second quarter** we usually build up vocabulary: body parts, calendar and weather, city, nature and scenery, colors, even animals and how they talk (the answers for that "animal" exercise you will find in this book along with other answer keys).*

Again, I recommend using all kinds of oral exercises (in addition to the ones in the book) to make students repeat the words many times, use them in different situations and finally memorize them. Grammar for this part would be: Possessives (p.17) at the beginning of the quarter and Accusative Case (direct object, p.28) at the end of the quarter. Below you will find a separate chapter which will help you teach Russian cases.

As you can see, my students are not overloaded with grammar, but they learn a lot of words and phrases showing how to use grammar and vocabulary in a practical way.

One of the most popular activities that could be started during this quarter is working on posters. Ask students to group in teams of 3-4 people, give them assignment ("make a poster of downtown and label all interesting places", "draw a body and label all body parts") and make it a "practical contest". Always give students clear directions of what to do and how you will evaluate their work. While grading, use such rubrics as:

a) quantity of new material (use of new words, grammar patterns, etc);

b) quality of new material (check for errors);

c) visual impression (drawings, colors, etc);

d) creativity (interesting ideas);
e) quality of final presentation (each group presents its poster to the class).

Other activities for this quarter could be: games involving body parts, making Russian calendars, doing weather forecast for one week ahead, going on a field trip to describe the city, nature and scenery (see pages 51-54 of this book for more details).

Second semester/third quarter *of the first year starts with Part 2, Russian Verbs. A lot of time will have to be spent on* <u>*verb conjugation*</u> *(p.36-37). The value of that time is hard to overestimate. Though the conjugation covers only a couple of pages in the textbook, we normally spend a minimum of two-three weeks until students feel comfortable with conjugating every verb on those pages.*

Other important grammatical material this semester is <u>*Prepositional*</u> *case vs* <u>*Accusative case*</u> *(location vs direction). From my experience, I learned that this is one of the most confusing subjects for American students. Try not to explain them both at the same time: students will understand it at the time of your explanation, but they will forget it very quickly and will be very much confused later. As this is something that does not exist in English but is typical for Russian, it would be good if you first introduced the prepositional case as location (p.47), let students understand it very well, and made them memorize some of the patterns. Only when you are sure that your students are comfortable with this case, move on to the accusative-direction (p.51). These two cases are presented in the book with the interval: between them students talk on the topic* "<u>*My family*</u>" *(p.49-50), where they can show their knowledge of the material covered before: verbs, professions and use of places in the prepositional case.*

The ***last quarter*** *of the first school year covers vocabulary on the topics:* "<u>*My Day*</u>" *(p.54),* "<u>*Time*</u>" *(p.55),* "<u>*Clothes*</u>" *(p.58),* "<u>*My house*</u>" *(p.59). Before you start the last topic,* "My House", *it is recommended to get familiar with* <u>*adjectives*</u>. *It will help later to describe houses better. As this happens mostly at the end of a school year, when it's nice and warm outside, one of the favorite projects of my students is to go outside, pick a house, describe it in Russian, and then let other students find that particular house after they read and translate the description.*

This quarter is also the time when we begin to get familiar with our first story about <u>*Vera and Vadim (p.62, "Новая Квартира")*</u>. *We work on stories in several stages:*
1. Students prepare a very good reading of the story. We practice a lot in class and at home. We use recordings.
2. I ask my students to read the story in roles (also checking how they understand it).
3. We work on written translation and vocabulary, do exercises (questions, answers, wrong statements, paraphrasing, etc), memorize key phrases and sentence patterns, and, finally, use the new words and phrases in sentences of

our own.
4. Students recite the story.
5. Students do a play, where they can improvise. We even videotape some of the plays. It's a pattern that we use to work on all stories throughout the book. (Read more about how to work with texts on page 26 of this book)

You can see now that during our first year we cover only 65 pages of the textbook "I Want To Speak Russian!", which on the first sight may not seem a lot. However, if you work with your students thoroughly and make sure they understand and remember every step, you will be pleased to see how much they can learn from those pages.

Russian 2

Second year *begins with the* <u>Past Tense</u> *(p.66) and then continues with the* <u>Future Tense</u> *(p.69). It is recommended to review verb conjugation in the Present Tense before starting the Past Tense. This may take some time. Normally, it takes about a month to work on Grammar Tenses. Then we proceed with the topic "<u>Vacation</u>", when students tell about their past and future vacations using different tenses. Final posters and essays "My winter/summer vacation" are the best indicators of your success.*

During the second month of the first quarter we study "<u>Art</u>" (Theater, Music and Painting, p.75). After we finish vocabulary and exercises, students have some time to work on their independent projects: find some interesting information about Russian art and make a presentation in class (both Russian and English). They like doing it in small groups: each group will do either "theater", or "music", or "painting". Students use different resources, including the Internet. (Read more about projects on p. 51-54)

The quarter is concluded by a new case: <u>Genitive case</u> (p.81).

The second quarter *begins with "<u>Art</u>" (Movies and Television). Television is one of the most popular and most powerful media in Russia. That is why it was necessary to prepare American students to be able to talk about it. One of the most interesting activities here is translating the Russian TV Guide, which can be found in all Russian newspapers or on Internet. Students get very excited when they discover familiar American programs or movies on Russian TV. Another recommendation would be to show students one of Russian TV shows or movies.*

Another case, <u>Dative,</u> (p.92) should conclude the second quarter.

*During the **second semester** students get familiar with new topics: "<u>Russian food</u>" and "<u>How to buy food</u>" (p.94). This is the time we use our school kitchen facilities to cook real Russian food! (You will find some interesting recipes in this book).*

One of our favorite activities is to play "grocery store". Students choose a department of a grocery store in advance (meat, dairy, produce, bakery, etc), they make decorations and ads (including prices), and bring products in class. Then they sell and buy - everything in Russian! To do this, students can use real products or toys. I noticed that it is always more fun to play with real stuff. Use play money (roubles) , but don't forget to explain about the exchange rate.

Another interesting activity students enjoy doing is to play "restaurant".
They are given an assignment to open a Russian restaurant in their town. Again, they work in teams. The project requires from them to create a proper menu and ads in the form of posters. They do their presentations in which they include Russian entertainment, such as singing, games, and dances. Native Russians are invited to be the judges and evaluate this project.

Students also learn about Russian major cities Moscow and St. Petersburg (p.104), and how to tell people about their home town. They enjoy making posters about their favorite cities and playing the "Tour guide".

Grammar at this time covers Verb Aspect (p.96), Instrumental Case (p.102), Degrees of Adjectives (p.106).

*The **last quarter** of the second year we spend mostly on Grammar review. For this purpose, we use charts at the end of the textbook: we review everything we have covered during the two years (including all cases, conjugations, tenses, aspects, etc.) We practice grammatical material on stories at the end of the book "From Russian Literature". These are adapted stories of original Russian literature, which are fun to read, discuss, and are very helpful to work on absolutely any grammatical rule. Any teacher using the textbook "I Want To Speak Russian!" should remember that the stories at the end of the book are for the **second year:** they complete the second year course.*

One of the examples of how to work with these stories is the essay "Что я люблю". After reading and translating Dragunsky's story under the same title, I ask my students to write an essay about themselves, similar to the story. They should pretend that they are 8-year old kids. After they write their essays in Russian, I collect them for correction. Then I cut off the names, mix up the essays and give them back to students to translate from Russian to English. Students try to guess who the authors of the essays are.

The most popular and most favorite project during this year is dubbing the Russian cartoon "Винни-Пух" ("Winnie-The-Pooh") from Russian to English The Russian film is easy to find, so is the book. After translating the story, students adapt it to the screen version, and then they compete in doing voices. Again, they work in teams. The final production can go to elementary schools for presentations - kids love it!

Russian 3

The third year is based on building a new vocabulary on new topics. The topics were chosen from the list of most popular ones. People who travel abroad want to know how to travel, how to make a phone call, how to shop, what to do at a restaurant, etc. Vocabulary and exercises are presented in the same way as for the first and second levels.

The stories, however, are different: they are not for "analytical" reading when students have to look up every word or phrase in a dictionary. They are for the type of reading when students figure out the idea of the story on their own using key words and phrases given after the story. After reading and translating the story, it is recommended to work on it in the same way as before: study key words, do exercises, memorize certain sentence patterns, and then recite and play. Below you will find English translations for the stories. These translations (with some corrections) were done by my students.

An interesting way to work on translations is to ask students to change the stories: to make them sound American. Say, instead of Vera and Vadim they would have Bob and Marie, and instead of New Year with Grandfather Frost they would have Christmas with Santa. However, they should keep the same chain of evens and the same writing style.

This level implies a lot of independent work, when students do not really need a lot of teacher help, and can handle most of the materials on their own. This level gives a lot of opportunities for creative work: students can use new vocabulary in a lot of situations of their own, create interesting dialogues, and write essays on different topics.

Do not be surprised if you find some expressions and phrases in the book (mostly for advanced level) that are not quite typical for every American classroom. They are not bad words: they are part of Russian culture. Just like America is impossible without the Statue of Liberty, hamburgers and cola, Russia is impossible without Kremlin, borsch and vodka. They describe Russian life. They reflect Russian culture, and without knowing them, understanding of culture would be impossible.

Finally, I would like to say that not everything is perfect in the course "I Want To Speak Russian!" The second edition has been published but my goal is to make it better with every new edition. If you have any comments or ideas about what worked well for your class, and what could have been done better, please, feel free to share - any input will be very much appreciated.

I hope you will enjoy working with the Russian course!

J. Zelchuk

How to start

It is always hard to begin. Here are a few suggestions on how you could start teaching Russian before you introduce the Russian Alphabet.

Breaking the ice should be the first thing to do. After telling students about Russia, make them get to know each other. At the same time find out if any of them have any ties with the country of the language they chose to learn.
The following activities will help you:

1) Ask students to make a circle. Use a ball. Students throw the ball to each other, and whoever catches the ball should say *"Меня зовут ____"*.
After everyone said the name, students can practice saying any Russian words they know. If they do not know any, they can simply say *"нет"* when they catch the ball.

2) Give students the paper *"Find someone who..."* (see page 10 below). This is a very good way to let them know each other better.

3) To give students the first taste of the Russian Language, give them assignment **to match the words** (page 11). Most likely, they will not match all of them, but it could be a good start.

4) On page 11 you will also find words from three different languages: English, German, and Russian. Let students guess what language they are from and what they could mean (the answer keys are below on this page).

Guess the language and the words:

The keys for teachers are given in parentheses. On page 11 the assignment is given without the keys for student use. The languages are: English, German, and Russian.

SCHULE	(school, German)	WASSER	(water, German)
CASE	(English)	СТУДЕНТ	(student, Russian)
МАСКА	(mask, Russian)	MADCHEN	(girl, German)
SPRACHE	(language, German)	LAMP	(English)
LEHRER	(teacher, German)	МИР	(world/peace - Russian)
ТОРТ	(cake, Russian)	МЕТРО	(subway - Russian)
МАСТЕР	(master, Russian)	MAP	(English)
BOOK	(English)	KLEIN	(small, German)
STUDENTIN	(student, German)	CLASS	(English)
РУКА	(hand, Russian)	KOT	(cat, Russian)

Find someone who...

knows who the President of Russia is President - _____	has Russian ancestors Ancestors - _____
has a Russian name Name - _____	knows what "borsch" or "pirozhki" mean Borsch - _____ Pirozhki - _____
knows any Russian celebrity Name - _____	is familiar with Russian music Music - _____
has a Russian friend or pen pal Name - _____	knows what color the Russian flag is Color - _____
has been to Russia City in Russia - _____	tried Russian food Food - _____

Match English and Russian words:

кот	student
краб	Mom
студент	basketball
томат	cat
баскетбол	motor
гитара	theater
доктор	tourist
турист	crab
театр	tomato
мотор	class
мама	guitar
класс	doctor

Guess the language and the words:

The keys for teachers are given in parentheses. The languages are: English, German, and Russian.

SCHULE	WASSER
CASE	СТУДЕНТ
МАСКА	MADCHEN
SPRACHE	LAMP
LEHRER	МИР
ТОРТ	МЕТРО
МАСТЕР	MAP
BOOK	KLEIN
STUDENTIN	CLASS
РУКА	KOT

Lesson plans for your first 3 lessons of Beginning Russian

During the time when students learn the alphabet, they will not need a textbook "I Want To Speak Russian". They will only need the alphabet. For teachers it is recommended to use this manual and additional materials, such as pictures and toys. To help you get started, a few lesson plans were developed. They can be used for beginning classes.

Lesson 1:

Goal: make students familiar with the teacher and each other; get "a first taste" of Russia and its language.

What you need: Map of Russia; copies of "Find Someone Who…", copies of other Ice-breaking worksheets for the whole class (pages 10 and 11).

Steps:
1. Introduction: introduce yourself to students in English. If you have a Russian background, tell them about your family and the place where you come from.

2. Ask students questions: What do you know about Russia? Do you know any Russian people (artists, athletes, politicians, celebrities, etc), cities, traditions, food, etc.? Don't expect students to know much at that point and help them with some answers.

3. Tell students about Russia: show them the country on the map and tell them simple interesting facts, such as:

✳ Population of Russia: 145 million people.
✳ Moscow, the capital city of Russia, is 855 years old and has a population of about 10 million people;
✳ Former capital city of Russia, St.Petersburg, is the second largest city of Russia with a population of about 5 million people. It is 300 years old.
✳ The distance between the two farthest points (East and West) is about 10,000 km (about 7,000 miles).
✳ A non stop flight from the East of Russia to its West takes 10 hours. You cross 10 time zones. If you leave Chukotka at noon on September 1 to fly to St.Petersburg, you will land at St.Petersburg in ten hours at the same time and on the same day you left: September 1, noon!
✳ Tell students who the president of Russia is.

4. Ask students what Russian words they know. Most likely they do not know any or may know some simple commonly used words such as "спасибо" or "до свидания". Surprise them by telling them that they know a lot of Russian words and do not even guess about it. Say out loud the following words and ask students to guess what they mean:

мама, папа, баскетбол, гитара, документ, доктор, доллар, кофе, краб, лимон, машина, математика, студент, профессор, турист, паспорт, школа, класс, гараж.

5. The rest of the class time can be used for "ice-breaking" exercises (see pages 10-11).

Homework: give students copies of the Russian alphabet and ask them to compare it with the English one. Let them find at least three differences and similarities.

Lesson 2

Goal: make students familiar with the Russian alphabet; begin learning the alphabet; introduce first vocabulary (orally): family members and everyday things; questions/answers "Что это?" "Кто это?"; fulfil simple commands.

What you need: Russian Alphabet; pictures of people for words: мама, папа, дочь, сын, брат, сестра, бабушка, дедушка (you can use the same pictures twice, for example, for дочь and сестра); bag of toys (find toys and things the names of which are easy to remember, such as машина, автобус, мотоцикл, телефон, газета, журнал, флаг, календарь, банан, кот, собака, etc.)

Steps:
1. Give students Russian names (you can always find Russian names that are identical or close to American names, or see page 17 for help). On index cards write students' names in Russian on one side and American names in English on the other side. Ask students to keep their name cards on their desks every day until you and others remember them all. Students usually like having Russian names in the Russian class.

2. Phonetic exercises: repeat a few times "Меня зовут (name)"
Then ask a question: "Как тебя зовут?" and help students to answer. You need to give a chance to almost every student to say it in class. The next phrase would be: "Как дела? - Хорошо". After practicing these two phrases, conduct a short conversation with several students:
- **Как тебя зовут?**
- **Меня зовут Саша.**
- **Как дела, Саша?**
- **Хорошо.**
- **Спасибо.**
Students will hear one more new word from you: спасибо.

3. First look at the alphabet: refer to pages 18,19 of this book. Begin group 1.

13

4. Conversation:

a) show students toys one by one saying their names in Russian. Begin with simple words like "машина" and "автобус". Ask students to repeat the words after you. After you do it at least twice, beging working on questions/answers:

Что это? - Это машина.
Это машина? - Да.
Это автобус? - Нет.

b) show students pictures with people one by one saying the new words out loud. Begin with "мама" and "папа". Ask students to repeat the words after you. After you do it at least twice, beging working on questions/answers:

Кто это? - Это мама.
Это мама? - Да.
Это папа? - Нет.

5. TPR or Total Physical Response exercise:
(TPR is a popular technique used nowadays by many teachers. A separate chapter of this book will be dedicated to TPR exercises: see pages 36-50). Ask students to perform your commands and not to speak English. Using gestures, give the following commands to some students:
встань - сядь; иди сюда - иди на место. Repeat each command at least ten times (with ten different students) before you move to the next command and before you combine them. This exercise is a lot of fun to do and students love it!

<u>Homework:</u> *study the new letters; practice to write words with new letters.*

Lesson 3

<u>Goal:</u> *continue to introduce the Russian letters; review and practice the words and phrases from Lesson 2; introduce additional questions: "Где мама?" "Где машина" and answers: "тут", "там", "дома"; do more TPR commands.*

<u>What you need:</u> *Russian Alphabet; pictures of people for words: мама, папа, дочь, сын, брат, сестра, бабушка, дедушка (you can use the same pictures twice, for example, for дочь and сестра); bag of toys (find toys and things the names of which are easy to remember, such as машина, автобус, мотоцикл, телефон, газета, журнал, флаг, календарь, банан, кот, собака, etc)*

<u>Steps:</u>
1. Phonetic exercises: repeat the phrases "Как тебя зовут? - Меня зовут ___ - Как дела? - Хорошо! - Спасибо." Teach new phrases: Здравствуйте. Привет.

До свидания. Пока.
Explain to students the difference between formal and informal language.
The conversation today should look like this:
- Привет.
- Привет.
- Как тебя зовут?
- Меня зовут Саша. Как тебя зовут?
- Меня зовут Наташа.
- Как дела, Саша?
- Хорошо. Как дела, Наташа?
- Спасибо, хорошо.
- Пока.
- До свидания.

Ask students to practice with a partner, and then ask two or three of them to say it in front of the class.

2.The alphabet. Refer to pages 18-20 of this book. Introduce group 2 (Б, В).

3. Conversation:

a) Using the same toys, review all the words with students. Add a new question "Где?" and the answers "Тут", "Там". Give the toys to different students to hold and ask the class: Где машина? Где автобус? Где флаг? Let the class/students answer the question with Машина тут. Автобус там.
The conversation today may sound like this:

Что это? - Это машина.
А где автобус? - Автобус там.
Спасибо.- Пожалуйста.

Это машина? - Нет.
Где машина? - Машина там
Где автобус? - Автобус тут.
Спасибо. - Пожалуйста.

Students will learn another new word: Пожалуйста.

b) Using the same pictures, review all the words with students. Add question "Где?" and answers "Дома", В школе", "На работе" (they may be hard to remember, so it is recommended to write them on the board in Russian even though students do not know the whole alphabet yet).
The conversation will grow to:

Кто это? - Это мама.
Где мама? - Мама дома.

Кто это? - Это папа.
Где папа? - На работе.
Брат дома? - Брат в школе.

5. TPR exercise:
Ask students to perform old commands and some new ones:
встань - сядь; иди сюда - иди на место; беги - прыгай - танцуй - стой.
Again, repeat each command at least ten times (with ten different students)
before you move to the next command and before you combine them.

Homework: study the new letters; practice to write words with new letters; review
everything you learned in class.

These first three lessons make a good beginning. Using the same approach, it's
not hard to develop similar lessons to continue. If you noticed from the first three
lessons, they all consist of four parts:

1) warming up (oral exercises and drills with everyday phrases)
2) the alphabet - new letters and words - in writing;
3) new vocabulary - conversation - oral;
4) TPR - commands

This lesson pattern may be continued until you finish the alphabet. Every
day/lesson you will need to add more material. You can use the following
additions:

1) warming up: add more everyday phrases from page 8 of the textbook "I Want
To Speak Russian!". If you add at least one phrase every day, by the time you
finish the alphabet, students will know them all and will be ready for writing and
using them later (try not to write them before you finish the alphabet as this may
confuse students).

2) the alphabet: see next chapter "How to Teach the Alphabet".

3) new vocabulary: add more new words for a)people: дядя, тётя, мальчик,
девочка, студент, студентка, муж, жена, внук, внучка; b)things: блокнот,
компьютер, телевизор, стол, стул, etc. Introduce and practice the structures:
Это мама _и_ папа.
Это мама, _а_ это папа.
Это мама? - _Да,_ это мама. _Нет,_ это _не_ мама.
Это мама или бабушка?

4) TPR: add and practice more commands, such as:
дай - на, возьми - положи, открой - закрой, сядь на стул/на стол/на пол,
встань на стул/на стол, иди сюда - иди туда, иди в класс - иди в коридор,
etc.

List of suggested names

Boys - Мальчики		Girls - Девочки	
American names	Русские имена	American names	Русские имена
Anthony	Антон	Ally	Алла
Aaron	Юра	Alexis	Аля
Alex	Александр	Ashley	Лиля
Arthur	Артур	Barbara	Варвара
Bob	Борис	Bethany	Таня
Casey	Костя	Beverly	Вера
Daniel	Данила	Cleo	Клара
David	Давид	Dana	Дина
Denis	Денис	Darci	Дарья, Даша
Edward	Эдуард, Эдик	Debora	Дора
Eric	Юрий	Diane	Диана
Ethan	Ефим	Eileen	Елена
Eugene	Евгений	Emily	Мила
Fred	Федя	Hannah	Ханна
Gary	Гарий	Heide	Дина
Greg	Григорий, Гриша	Jane	Женя
Henry	Гера	Jennifer	Женя
Jeremy	Еремей	Joan	Жанна
Jimmy	Дима	Johanna	Ханна
Joseph	Иосиф	Julia	Юлия
John	Иван/Ваня	Irene	Ирина
Jake	Женя	Kailee	Галя
Jeff	Жора	Katie	Катя
Jesse	Сергей	Katherine	Катерина
Levi	Лёва	Kristina	Кристина
Leo	Леонид	Laura	Лора
Lonnie	Лёня	Lisa	Лиза
Loren	Лаврентий	Maria	Мария
Matthew	Матвей	Marsha	Маша
Martin	Мартын	Martha	Марта
Michael	Миша	Maurine	Марина
Nathan	Натан	Melinda	Лина
Nick	Николай	Monica	Ника
Paul	Павел	Nancy	Нина
Peter	Пётр	Paula	Полина
Phillip	Филипп	Rose	Роза
Samuel	Самуил	Ruth	Руфь
Simon	Семён	Sandy	Саня
Steve	Степан	Stephanie	Света
Tim	Тима	Tammy	Тамара, Тома
Tom	Тёма	Traci	Таня
Victor	Виктор	Valerie	Валерия
William	Илья	Veronica	Вероника
Zachary	Захар	Winnie	Инна

художник В. Родионов

18

How to teach the Russian Alphabet

When starting the alphabet, you have to decide for yourself if you want to start with cursive or print. Russian cursive could be very challenging and confusing. From our experience we have learned that it is easier to start with print. After the first semester, it is worth trying to introduce cursive, and then let students decide whether they want to continue with cursive or print. Usually, only one out of ten students is willing to switch to cursive. However, teaching cursive seems to be very useful: even if students decide to print, they will know how to read it.

Teaching the Russian Alphabet is mostly:

learning Cyrillic characters
learning how to read words and sentences
leaning how to write words and sentences

Therefore, three major steps in teaching the alphabet are:

introducing Russian letters
recognizing and reading words
writing letters and words

When introducing Russian letters, let students first get acquainted with the whole Alphabet visually. Ask them to sort the letters into groups (categories) of their choice, and then ask to explain why they did it this or that way. After this, show them how all Russian letters can be arranged in three groups:

1) characters that look the same and sound the same (or close) in English and in Russian;
2) characters that look the same but sound differently;
3) characters that look and sound differently.

During your first lessons introduce these letters:

A, K, M, O, C, T

Words to practice reading and writing could be:

мама, кот, ток, сок, ком, мос, том, сом, оса, сам, мак
маска, коса, тост, мост, тоска, каток, комок, космос, томат, кома

Remember:

stressed "O" in Russian never sounds like "A", e.g.   космос - kohsmahs
unstressed "O" always sounds like "A"   e.g.   космос - kohsmahs

The best way to practice words is to ask students to write them in their notebooks, while you are reading them one by one slowly and distinctly. Ask one student to do it on the chalkboard. Do not write more than five words at a time: you need to check them and discuss possible errors.

After finishing this group, you may want to continue with the next one or two groups. Perhaps, following the usual order of the Alphabet will be easier - students will not have to deal with so many confusing 'similar in look but different in sound' letters at the same time.

Б, В

Words to practice:

баба, бак, бок, бот, босс, бас
вот, вас, вам, вата, авто,
собака, сова, квас, бомба,

Give students <u>a short quiz</u> to check how they know the letters. Select ten words from all listed above (including group 1), read them to students - pronounce each word twice. Make a pause after each word to let students write it on paper. After this, write all the words on board and let students correct and self grade the papers. It is always interesting when students correct someone's work instead of their own. Here is the grading system used in my classes:

no errors - 5 or 5+
1 error - 5-   It is a Russian system of grades when
2 errors - 4   5 = A
3 errors - 4-   4 = B
4 errors - 3   3 = C
5 errors - 3-   3- = D
6 errors and more - 2   2 = F

Here's a sample quiz:

мама, баба, маска, бок, томат, бак, мост, квас, авто, бас

Г, Д, Е, Ё, Ж

It should take a little longer to study this group, but it's fun to present them together, because together they make a phrase "ГДЕ ЁЖ?" ("Where's the hedgehog?"). You can also split this into two lessons: Г,Д,Е, first, and then Ё,Ж.

Words to practice:

дом, док, код, ода, кода, дока, мода, сода, вода, беда, доска
год, гад, маг, дог, сага, стог, тогда
дед, бег, бес, век, сетка, место, тесто, сосед
жаба, кожа, жок, багаж, жакет
мёд, лёд, овёс, ёж, тёс, лёжа

Quiz:

вода, бег, дед, мёд, тесто, сосед, собака, беда, багаж, тёс

З, И, Й

You will need to show the difference between "и" and "е".

зад, зов, воз, зев, коза, казак, база, ваза, завод
кит, миска, место, киска, зима, мисс, диво, дева, джаз*
мой, твой, стой, дай, бай, байка, Китай, май

* j- and -dge in Russian are "дж"

Л, Н, П, Р

*Starting here, the Alphabet sounds just like the English one, only with slight differences in pronunciation (rolling "р"; dental "л, н, т; whistling "с"; etc)
Since the most difficult part of the Rusian Alphabet are vowels, make sure students know them very well, especially the difference between "a" and "о"; "и" and "е"; "е" and "ё". If students are confused, you might want to spend extra time working on them.*

<u>Words to practice:</u>

лак, лама, лото, сало, стол, лес, лиса, лето, тело, блок
нос, нож, сон, нет, снег, небо, книга, блокнот, носки
папа, папка, пакет, поле, пила, паста, лапа, липа, пикап
рак, раб, рот, река, краска, рис, мир, брат, сестра, приз

By this time, students already know enough letters to be able to read and write new words. In the quiz it is no longer necessary to give them familiar words: you can come up with new ones, or mix them up with the old ones such as:

масло, роза, багаж, гараж, золото, санки, ёлка, лёд, просто, лето

These words could be used to play <u>"Hangman":</u>

паспорт, баскетбол, собака, адвокат, салат, мастер

У, Ф, Х

Try to avoid confusion between "у" and "о"

ум, ус, Гум, кум, ком, мука, утка, утро, жук, жок, муж, жена, бумага
фото, фара, флот, футбол, фон, телефон, лифт, фрукт, фургон
хам, мах, мох, лихо, мех, хлеб, хлам, Бах, крах, хохот, хрип, храп

Quiz words: бумага, книга, блокнот, телефон, футбол, храп, журнал, газета,
мука, жук

Words for "Hangman": магазин, портрет, зоопарк, профессор, балерина,
гитара

Ц, Ч

Help students to hear the difference between "ц" and "с".

цвет, свет, лицо, лиса, цирк, птица, спица, царица,
чай, чайка, часто, чалма, пачка, ручка, чума, чисто, чело, чучело

Ш, Щ

Most likely students will not hear the difference between them as they sound very similar. The difference of similar sound in words "shirt" and "short" may help a little. Do not be frustrated if students still do not hear it right away: the difference at this point is not really critical. More important would be to catch the difference between "ш" and "ж".

шутка, чашка, ложка, шуба, шум, муж, каша, рожа, шакал, шоколад
щука, щека, чаща, клещ, хвощ, роща, щетина, щит, мощи
шутка-щука, чашка-чаща, рожа-роща, щуба-щур

Ъ, Ы, Ь

Your students will be happy to hear that "ъ" (hard sign) is used only in a few words, such as "объявление", "объезд". It breaks the word into two parts which are pronounced almost separately. This function in other words is now carried by "ь" (soft sign), which also makes the previous consonant sound "softer", with a slight shade of "и". Again, many Americans do not hear the difference between words with soft sign and without it. Try pairs of words listed below to help students notice the difference:

мол -моль, кон -конь, вон -вонь, мел -мель, сел -сель, посол - соль, жалко - жаль

коньки, мальчик, бульон, больно, большой, горько, даль, тень, день, пень

"Ы" - another problem sound. Here's a helpful hint: when a person shows his sore throat to a doctor, he normally says "ah-ah". Tell students to do the same, only say "и-и-и". With a mouth wide open, and in the back of a throat, they will have a good chance to form the correct sound. However, make sure they can hear the difference between "и" and "ы".

мы, вы, бык, мыло, мила, рыба, рис, быт, бита, вызов, виза, сыр, сироп, сын, синь

Quiz words: карандаш, шуба, рожа, роща, каша, чашка, шум, соль, мыло, мальчик

Э, Ю, Я

Students should know the difference between "а", "э" and "е"; "ю" and "у"; "я" and "а":

это, лето, мэр, мера, сэр, сера, этаж, эра
сэр - сыр - сор -Сара - сера - кассир - сурок

юрта, юла, брюки, шлюпка, ключ, флюгер
лук - люк, блюз - блуза, юбка - губка, крюк - круг

яр, яма, мяч, яхта, Ялта, шляпа, пятка, ясно, ярко
мясо - масло, мяч - матч, юла - Юля, кляп - клапан

You can play "Hangman" with any words now.

You are done with the Alphabet!

After you finish the alphabet, you can move to the next level - work with the textbook "I Want To Speak Russian!". In fact, you already started the textbook: everything on pages 2 through 8 students already know as they practiced all these words and phrases while learning the alphabet. All they need now is review and practice in writing. You can give them Introductory Test and Test 1 when you think it is time to check their knowledge.

In the following chapters you will find more hints which will help you to teach Russian successfully.

Teaching Russian with success

The process of learning Russian through the textbook "I Want To Speak Russian!" is based on <u>three main stages</u>:

1) work with new vocabulary and grammar (mostly through conversations)
2) work with dialogs
3) work with texts

Every topic that students study begins with new vocabulary. Dialogs and texts that follow after show students how to use new words in speech and in certain grammar patterns, therefore work with dialogs and texts includes grammatical material. After working with dialogs and texts, students have a very good idea about how to use new words in situations of their own, and they can do interesting projects which include not only language learning but also elements of culture. Let's look how you can organize lessons based on these three main stages.

How to work with new words

1) <u>Read the words</u> out loud and make the class repeat every word after you; put the stress marks; discuss their meanings - every word deserves special attention!

2) <u>Read and repeat</u> words again but at this time without discussions and interruptions.

3) Ask students to <u>read the words one by one</u>.

These first three steps will help with phonetics: students will develop correct pronunciation. The next three steps will help with understanding their lexical meanings and memorize the action.

4) <u>Sort words</u> in groups (for example: people/things, nouns/verbs, or depending on their color). You can come up with interesting categories yourself.

5) <u>Practice words</u> in phrases or short sentences. This step will take most of the time. Sometimes it takes a few days. During this step, students do all exercises which are in the textbook after each new vocabulary.

6) <u>Use words</u> in phrases/sentences/situations of your own. At this stage students not only demonstrate the knowledge of the new vocabulary but they also show how they can use them in speech.

The last step allows teacher to check the knowledge of the new vocabulary.

7) <u>Quiz/Test.</u> You can perform a short 10 word quiz: select 10 words from the list and say them out loud in English. Students will write them on paper in Russian. You can grade papers yourself or make an instant grading by mixing up all works and giving them to students to grade at random. In this case, ask students not to put their names on paper (they can put some mark to identify their work later). You can also perform a "full time test" on new vocabulary. Tests and answer keys are given in this teacher manual.

Remember that besides written quiz or test you will have to check students' progress in acquisition of new words every day orally. You can do it in the beginning of the class: say words in English and ask students to translate to Russian (or vice versa). First day or two allow them to have their books opened. The following days ask them to close the books.

How to work with dialogs

Every dialog in the textbook I want to speak Russian is functional. It includes new vocabulary which students can practice in speech patterns. Choice of words is based on frequency of their use.

1) *Read the dialog out loud* to class. Let students listen to your reading.

2) *Ask two students* with clear and distinct voices *to read the dialog* out loud.

3) Ask class if they see any *unfamiliar words*. Ask if they can guess what they mean.

4) Ask two other students *to translate the dialog* out loud so other students could hear.

5) *Discuss the dialog* with the class, make sure every student understands it very well. Find all words from new vocabulary and say/underline all sentences in which they are used.

6) Give students some time to *practice the dialog* with a partner. This could be done at home or in class.

7) Ask three or four pairs to *say it out loud in front of the class*. Always start with strong students so they could set an example and attract everybody's attention.

8) Tell students to *make up similar dialogs* of their own. Again, they work in pairs. They should keep the same structure of the dialog, same new vocabulary, and, if possible, same structure of the sentences. They can change names, things, and places. In other words, they have to create "a twin" to the dialog in the textbook.

9) Students <u>perform their dialogs</u> in front of the class. Class evaluates the work. For that purpose ask your class to chose only one performance: the one they think is the best (excluding their own, of course). For assessment of this assignment you can use the following rubrics: clear and distinct presentation including artistic elements and props; minimum of errors; minimal use of "cheat sheets", full use of all new words. You can add more to rubrics but these are the basic ones.

How to work with texts

Texts/stories give more opportunity to practice vocabulary and grammar.

1) <u>Read the text out loud</u> to class twice. Ask students to keep their books closed. After reading, ask them how much they understood from your reading.

2) <u>Ask students</u> to open their textbooks and <u>read again</u>. Pronounce difficult words a few times and help students with stress marks.

3) One by one students <u>read the text sentence by sentence and translate it</u> with the help of teacher and class.

4) <u>Discuss the text in class</u>: answer all questions that students ask, explain all language and cultural differences if necessary.

5) Ask students to <u>find all new words in the text</u>; read/underline the sentences in which they are used.

6) <u>Work with vocabulary and grammar</u>: most of this work is done through exercises in the textbook "I Want To Speak Russian!" which include questions/answers; re-phrasing; wrong statements; etc.

7) Students are given time to <u>prepare for text recitation</u>. Make sure they do not memorize it word for word but render the main message using new vocabulary and grammar.

8) Students work in pairs and <u>create a play based on the story</u>. They practice for class presentation.

9) Play <u>presentation in front of the class</u>. Again, class evaluates the work. For assessment you can use the same rubrics as before: clear and distinct presentation including artistic elements and props; minimum of errors; no use of "cheat sheets"; full use of all new words, and do not forget to evaluate how creative students are in their plays!

10) At the end students prepare for <u>oral presentations on a current topic</u>, such as "Моя семья" or "Мой дом". Use the same rubrics plus add visual support, such as a poster "My Family" or "My House" with photos of real family/house or magazine clips for imaginary ones. Students not only present the topic to class as a monolog, but they also answer questions after presentation. For that purpose, ask every student to prepare at least 3-5 questions on the topic.

How to teach Russian grammar

Russian grammar is one of the most complicated subjects to teach and to learn. If not taught properly, it can easily scare students away. Choice of methods and techniques in teaching grammar can depend on several things, such as specific goals in learning language or students' age. If you choose methods used for teaching academic Russian to teach high school students, most likely you will fail. You can use the same teaching materials and textbooks, but the approach should be different.

Textbook "I Want To Speak Russian!" teaches grammar in a simple way. Most of details and exceptions are avoided. Students will get familiar with minimum of Russian rules which are presented in "simple charts" in order to make information visual. This minimum provides the learner with grammar structures so necessary for communication. They are practiced through numerous speech patterns and exercises. Here are steps and techniques recommended for teaching grammar:

1) Show students how a grammar phenomenon functions in English first. In other words, try to find similarity in English language in order to make a comparison later. For example, talking about conjugation, one of the most complicated topics in grammar, you can first explain students what "conjugation" means. The easiest and most understandable way to do it would be telling students that conjugation changes verb endings depending on its noun (which is a subject in a sentence), for example: **I write - you write - he writes/she writes.** In English, however, there is only one change, when in Russian there are six conjugated forms: three in the singular and three in the plural.

2) Look at simple charts. You can copy them on the board, or use the ones in the textbook. Discuss them with students for better understanding.

3) Give students a lot of examples for each grammar rule. Use words and phrases that students know very well. Ask students to make examples of their own. Do it orally and in writing.

4) Create no less than 10 "speech patterns" for each grammar rule/structure and give them to your students to memorize. You can even ask students to create their own speech patterns and memorize them. It is necessary to memorize speech patterns because they will form a mechanism of correct use of this or that grammar structure in students' minds. (Speech patterns are ready-to-use phrases and sentences that people use in every day living. A wide range of various speech patterns for teaching Russian cases will be presented in the

next chapter "Case about Russian case").

5) Do <u>grammar exercises</u> offered in the textbook after "simple charts"; make a good combination of both written and oral ones.

6) Pay attention to <u>grammar structures in dialogs and texts</u> that follow grammar material in the textbook.

7) Pay attention <u>how students use grammar material</u> in their following works/presentations.

8) Use <u>tests </u>given in this manual for final assessment.

"Case" about "Russian Case"
(or how to deal with Russian cases)

Everyone who studied Russian knows that Russian cases could be real pain. Here are a few suggestions on how to work with them.

Step 1:

***Explain to students what "<u>a case</u>" means** (when a word changes depending on its function in a sentence) . Give examples in English in comparison with Russian:*

<u>English:</u>

a boy - nominative, accusative	*cases in English are the same as in*
***of** the boy - genitive*	*Russian, only they are rendered by means*
***to** the boy - dative*	*of <u>different prepositions</u> (of, to, by, about)*
***by** the boy - instrumental*	*while the word by itself (boy) does not*
***about** the boy - prepositional*	*change*

<u>Russian:</u>
мальчик - именительный, винительный (nominative, accusative)
*мальчик**а** - родительный (genitive)*
*мальчик**у** - дательный (dative)*
*мальчик**ом** - творительный (instrumental)*
*(о) мальчик**е** - предложный (prepositional)*

Cases in Russian are rendered by means of <u>different endings</u> (-а,-у,-ом,-е) of a word but not by means of prepositions.

Step 2

*Study materials and simple charts for each case: try to **explain to students*** *main usages of each case* (they are presented in the textbook). *Give as many examples as possible. Practice a few case exercises from the textbook in writing. After this step students will know case rules, but will not be able to use them on their own yet.*

Step 3

This is the main step: **let students use cases on their own.** *In order to do that, it is necessary to work out "a pattern" in students' minds - one pattern for each case usage. This could be done by memorizing a set of "case patterns" (most commonly used ones) and using them in different situations (see chapter "How to teach grammar", #4, about "speech patterns").*

Here are "patterns" for all Russian cases. They will be helpful to begin with. This list can be extended by teacher and students.

Nominative Case

feminine	masculine	neuter
Это мама	Это папа	Это лето
Это бабушка	Это дедушка	Это кино
Это тётя	Это дядя	Это море
Это студентка	Это студент	Это солнце
Это книга	Это журнал	Это окно
У меня есть сестра	У меня есть брат	У меня есть пальто
У меня есть подруга	У меня есть друг	У меня есть письмо
У меня есть кошка	У меня есть кот	У меня есть фото
У меня есть бумага	У меня есть блокнот	У меня есть радио
У меня есть ручка	У меня есть карандаш	У меня есть зеркало

Accusative Case - direct object:

feminine	masculine	neuter
Я люблю мам-у	Я люблю пап-у	Я люблю лето
Я люблю бабушк-у	Я люблю дедушк-у	Я люблю море
Я люблю тёт-ю	Я люблю дяд-ю	Я люблю солнце
Я люблю музык-у	Я люблю спорт	Я люблю кино
Я люблю книг-у	Я люблю журнал	Я люблю метро
Я вижу сестр-у	Я вижу брат-а	Я вижу пальто
Я вижу подруг-у	Я вижу друг-а	Я вижу письмо
Я вижу кошк-у	Я вижу кот-а	Я вижу фото
Я вижу бумаг-у	Я вижу блокнот	Я вижу радио
Я вижу ручк-у	Я вижу карандаш	Я вижу зеркало

Accusative case - _direction_

feminine	masculine	neuter
Я иду в школ-у	Я иду в магазин	Я иду в метро
Я иду в библиотек-у	Я иду в ресторан	Я иду в кино
Я иду в аптек-у	Я иду в парк	
Я иду в касс-у	Я иду в банк	
Я иду в клиник-у	Я иду в театр	
Я иду на работ-у	Я иду на концерт	Я иду на море
Я иду на опер-у	Я иду на балет	Я иду на озеро
Я иду на почт-у	Я иду на урок	
Я иду на улиц-у	Я иду на базар	
Я иду на дорог-у	Я иду на стадион	

Genitive Case

1) _Phrase_ **"У меня нет"**:

feminine	masculine/neuter
У меня нет мам-ы	У меня нет пап-ы
У меня нет бабушк-и	У меня нет дедушк-и
У меня нет тёт-и	У меня нет дяд-и
У меня нет сестр-ы	У меня нет брат-а
У меня нет подруг-и	У меня нет друг-а
У меня нет кошк-и	У меня нет кот-а
У меня нет газет-ы	У меня нет журнал-а
У меня нет книг-и	У меня нет блокнот-а
У меня нет машин-ы	У меня нет дом-а
У меня нет ручк-и	У меня нет карандаш-а

Make sure students remember when to write **"и"** or **"ы"** in the endings. We use the so called "snake rule" for that: **"и"** is used after "kilogram of snakes" (**к г** - abbreviation for **"кило**грамм" and snake-like hissing sounds **ж, ш, щ, ч** + **ь**); after other consonants write **"ы"**. The difference is not very noticeable when you speak as the two sound very similar.

Note that Neuter for most cases has the same endings as masculine, with the exception of words that never change, such as метро, фото, радио.

One of the most popular Russian songs "Если у вас нету тёти" ("If you don't have an aunt...") from a famous Russian film "Ирония судьбы...", is a perfect example of genitive case with "у меня нет". The song is easy to learn and is fun to sing. Here are the lyrics if you decide to do it:

Если у вас нету тёти...

Если у вас <u>нету дома,</u>
Пожары ему не страшны,
И жена не уйдёт к другому,
Если у вас, если у вас, если у вас <u>нет жены - нету жены</u>!

Если у вас <u>нет собаки,</u>
Её не отравит сосед,
И с другом не будет драки,
Если у вас, если у вас, если у вас <u>друга нет - друга нет</u>!

Оркестр гремит басами,
Трубач выдувает медь,
Думайте сами, решайте сами - иметь или не иметь,
Иметь или не иметь!

Если у вас <u>нету тёти,</u>
То вам её не потерять,
И если вы не живёте,
То вам и не, то вам и не, то вам и не умирать - не умирать!

Оркестр гремит басами,
Трубач выдувает медь,
Думайте сами, решайте сами - иметь или не иметь,
Иметь или не иметь!

2) *of-phrase or possessives*:

feminine	masculine/neuter

Это комната мам-ы	Это комната пап-ы
Это комната бабушк-и	Это комната дедушк-и
Это комната тёт-и	Это дом дяд-и
Это книга сестр-ы	Это книга брат-а
Это книга подруг-и	Это книга друг-а
Это книга студентк-и	Это книга студент-а
Это книга девочк-и	Это книга мальчик-а
Это дом учительниц-ы	Это дом учител-я
Это дом артистк-и	Это дом артист-а
Это дом спортсменк-и	Это дом спортсмен-а
Это хвост собак-и	Это хвост кот-а
Это колесо машин-ы	Это ножка стол-а
Это окно библиотек-и	Это окно магазин-а

3) distance words: **от, из, (не)далеко от, около, у**:

Please, notice the difference between "от" and "из" - both mean "from".
"Из" means "from some place" when "от" is mostly "from somebody":

feminine	masculine/neuter
Письмо из Москв-ы	Письмо из Санкт-Петербург-а
Письмо из Алма-Ат-ы	Письмо из Владивосток-а
Письмо из Миннесот-ы	Письмо из Минск-а
Письмо из Аризон-ы	Письмо из Орегон-а
Письмо из Мексик-и	Письмо из Лондон-а
Письмо от мам-ы (пап-ы)	Письмо от сын-а
Письмо от бабушк-и (дедушк-и)	Письмо от внук-а
Письмо от дяд-и (тёт-и)	Письмо от доктор-а
Письмо от сестр-ы	Письмо от брат-а
Письмо от подруг-и	Письмо от друг-а
Я живу (не)далеко от школ-ы	Я живу (не)далеко от город-а
Я живу (не)далеко от почт-ы	Я живу (не)далеко от центр-а
Я живу (не)далеко от работ-ы	Я живу (не)далеко от парк-а
Я живу (не)далеко от аптек-и	Я живу (не)далеко от кинотеатр-а
Я живу (не)далеко от библиотек-и	Я живу (не)далеко от магазин-а

feminine	masculine/neuter
Магазин находится около почт-ы	Магазин находится около парк-а
Почта находится около библиотек-и	Парк находится около кинотеатр-а
Библиотека находится около аптек-и	Кинотеатр находится около банк-а
Аптека находится около школ-ы	Банк находится около ресторан-а
Школа стоит около дорог-и	Ресторан находится около магазин-а

feminine	masculine/neuter
Магазин находится у почт-ы	Магазин находится у парк-а
Почта находится у библиотек-и	Парк находится у кинотеатр-а
Библиотека находится у аптек-и	Кинотеатр находится у банк-а
Аптека находится у школ-ы	Банк находится у ресторан-а
Школа стоит у дорог-и	Ресторан находится у магазин-а

Dative Case

Recepient:

feminine	masculine/neuter
Купи цветы мам-е	Купи часы пап-е
Купи альбом бабушк-е	Купи альбом дедушк-е
Купи книг-у тёте	Купи книг-у дяд-е
Купи куклу сестр-е	Купи книгу брат-у
Купи велосипед внучк-е	Купи велосипед внук-у
Дай игрушку девочк-е	Дай игрушку мальчик-у
Дай карандаш студентк-е	Дай карандуш студент-у
Дай цветы девушк-е	Дай портфель профессор-у
Дай велосипед подруг-е	Дай велосипед друг-у
Дай ручку учительниц-е	Дай ручку учител-ю
Покажи альбом бабушк-е	Покажи альбом внук-у
Покажи фото мам-е	Покажи фото сын-у
Покажи книгу сестр-е	Покажи книгу брат-у
Покажи дом тёт-е	Покажи дом муж-у
Покажи машин-у подруг-е	Покажи машин-у друг-у

Instrumental Case

1) preposition "with" ("c");   2) by means of:

feminine	masculine/neuter
Я иду в кино с мам-ой	Я иду в кино с пап-ой
Я иду в кино с бабушк-ой	Я иду в кино с дедушк-ой
Я иду в кино с тёт-ей	Я иду в кино с дяд-ей
Я иду в кино с сестр-ой	Я иду в кино с брат-ом
Я иду в кино с подруг-ой	Я иду в кино с друг-ом
Я иду в кино с девочк-ой	Я иду в кино с мальчик-ом
Я пишу письмо ручк-ой	Я пишу письмо карандаш-ом
Я ем суп ложк-ой	Я режу хлеб нож-ом
Я еду домой машин-ой	Я еду домой автобус-ом

3) prepositions of place:

feminine	masculine/neuter
Альбом перед сестр-ой	Альбом перед брат-ом
Дочь перед мам-ой	Сын перед пап-ой
Внучка перед бабушк-ой	Внук перед дедушк-ой
Машина перед дорог-ой	Машина перед гараж-ом
Гараж перед машин-ой	Гараж перед дом-ом
Тетрадь перед студентк-ой	Тетрадь перед студент-ом
Парк за рек-ой	Город за лес-ом
Река за гор-ой	Парк за город-ом
Озеро за дорог-ой	Река за парк-ом
Гараж за машин-ой	Гора за озер-ом
Карандаш под парт-ой	Кот под стул-ом
Ручка под карт-ой	Собака под стол-ом
Бумага под картин-ой	Гараж под дом-ом
Лодка над вод-ой	Самолет над город-ом
Вода над дорог-ой	Дым над дом-ом

Prepositional Case

1) *location, place:*

feminine	masculine/neuter
Я на работ-е	Я в дом-е
Я учусь в школ-е	Я учусь в 10 класс-е
Я работаю в библиотек-е	Я работаю в магазин-е
Я работаю в клиник-е	Я работаю в ресторан-е
Я гуляю на улиц-е	Я гуляю в парк-е
Я играю на дорог-е	Я играю на стадион-е
Я читаю в библиотек-е	Я читаю на пляж-е
Я слушаю музыку в опер-е	Я слушаю музыку на балет-е
Я пишу на бумаг-е	Я пишу в блокнот-е
Я еду на машин-е	Я еду на автобус-е

2) *preposition "about" ("o"):*

feminine	masculine/neuter
Расскажи мне о мам-е	Расскажи мне о пап-е
Расскажи мне о бабушк-е	Расскажи мне о дедушк-е
Расскажи мне о тёт-е	Расскажи мне о дяд-е
Расскажи мне о сестр-е	Расскажи мне о брат-е
Я читаю книгу о собак-е	Я читаю книгу о кошк-е
Я знаю всё о подруг-е	Я знаю всё о друг-е
Я рассказываю о стран-е	Я рассказываю о город-е
Я люблю говорить о семь-е	Я люблю говорить о дом-е
Что ты знаешь о школ-е?	Что ты знаешь о класс-е?
Что ты знаешь о класс-е?	Что ты знаешь о класс-е?

What is a TPR?

TPR or **Total Physical Response** can be defined as a method of teaching languages by means of speech act related to a body movement.

According to some sources, TPR was born in the early 1920s with works of H.Palmer and his daughter Dorothy. Later it was developed by James Asher, professor of psychology. Today it is one of the most popular techniques in teaching ESL and foreign languages. The idea of teaching a second language by acting out commands is closely connected with the natural way of learning our first language. In addition, TPR also "deals with the role played by the right hemisphere of the brain in learning a second language by action" (R.Garcia, 2001, p.I-1). In other words, it could be presented like this: "the left brain has been characterized as verbal, critical, bossy, reluctant to accept new ideas and to cooperate. On the other hand, the right sight has been labeled as tolerant, receptive, willing to cooperate, not verbally expressive, but **favoring physical way to communicate"**

At present time, there are a lot of discussions about how far a teacher can go with TPR. Some say that TPR consists of the use and performance of commands and is good at the beginning level only. Others assure that TPR is a lot more than simply commands: James Asher himself, Ramiro Garcia, Contee Seely, Elizabeth K. Romijn developed a whole system of TPR exercises directed to teach vocabulary, grammar, oral and written speech on different levels. These exercises present a very wide range of activities and techniques: from simple commands to complex performances. However, it is obvious that using just physical response would be impossible to achieve real positive results. Perhaps, some of the authors are correct saying that pure TPR is limited to commands only. On more complicated stages other techniques and methods are unavoidable in addition to TPR, such as communicative method or audio-lingual, also based on oral approach. However, no matter what you name it, TPR in its pure form or in combination with other methods, without a doubt, is a very powerful means of teaching which teachers of foreign languages simply cannot ignore if they are interested in seeing positive results of their work.

Some teachers limit their teaching to one specific method: they find something that works for them and use it in class for everything: reading, writing, grammar, etc. In this case they limit their students to knowing only certain areas in the target language. For example, I met very many students who can read and write in Russian but are not able to speak it, or who know grammatical rules in depth but do not know how to use them. In the same way, teachers limiting their teaching techniques to TPR only, miss many opportunities to teach their students something interesting and useful, especially if it involves not only the language but also its culture and literature.

One of the advantages of TPR for second language teaching/learning is that there is no translation involved. This really works for classes where students *come from different countries and cannot speak the same language. In teaching/learning foreign languages, however, in most classes students belong to the same nationality and speak the same language. The role of translation can't be overestimated here: it is important in explaining some language concepts as well as cultural phenomena. For example, when teaching students Russian food and talking about vocabulary, I cannot imagine how not to explain the difference in vocabulary in English. No body movements or gestures would be able to show the difference between "buttermilk" (the product most Americans do not use for drinking) and "кефир" (the most popular Russian drink). Even though the product is almost the same, the difference is in cultural approach. In other words, TPR may play a very positive role in teaching a foreign language if you do not base your whole teaching system on it. Every foreign language teacher should decide for himself what methods would be used in his/her teaching. These methods should be based on a final goal: say, if the final goal is to prepare students for written translations, it would be a system of methods involving techniques for writing, and TPR simply will not work. To prepare students for oral communication, along with TPR, a teacher should use other oral techniques, such as audition, communicative models, role games, etc.*

In American high schools and universities (excluding where students are majoring in foreign language), our goal is to prepare students to be able to communicate in a global community. In other words, students should read, write, understand, speak in a target language and should be able to communicate in oral or written form. To reach this goal would be impossible using just one particular method of teaching, even if it is very powerful like TPR.

In my classroom TPR is used mostly for teaching vocabulary and some short conversations. There are many works written on how to use TPR for ESL, Spanish, and French. Not much is done in the area of Russian. Below you will find some suggestions on how you could use TPR in your Russian classroom assuming that the goal of your teaching is the one described above: to prepare students for global communication.

Classroom arrangement

If you use TPR as an additional technique to your accustomed teaching style, you will not need any special arrangement of the classroom. However, try to create more space for students to be able to move and perform certain actions, like walking, talking, jumping, dancing, etc. Also, all students have to have clear view of what is going on in the classroom. Every student will have to be a participant, so make sure everyone feels comfortable and relaxed.

In standard classroom with desks, create rows facing each other or put them in a circle. In front of the class (or in the middle of the circle) place a few chairs, preferably of different colors. During first lessons every student has a card with his/her name in the target language. The cards can be taped to students' desks. If your class is big in size and you prefer to practice TPR in smaller groups, you can take one group outside the classroom (while the other group is working on something else with your assistant) and arrange your work practically anywhere: the less formal your setting is, the more relaxed and more willing to participate your students will be. Students can be seated even on the floor of hallways making a friendly circle and having even more fun.

Some of the TPR Principles

Three most important principles of TPR can be formulates like this:
*   *Avoid using native language.*
*   *Avoid correcting mistakes.*
*   *Use lots of repetitions.*

The first principle asks clearly not to use native language. In teaching Russian, before I use TPR techniques, I explain to my students how important it is NOT to speak English and not to prompt in English, especially if someone is confused or cannot react to a certain command. Even the most confused students will be able to understand and react properly if a teacher acts slowly and repeats commands many times.

If students feel comfortable and relaxed, they will not be afraid to speak in the target language even if they make mistakes. The goal is to make students speak, and even if they make errors in their speech, you already reached your goal by making them speak. Everyday practice and numerous repetitions will help your students to get rid of errors.

There is no need to explain the importance of repetitions. This is one of the principles of any language learning, and, practically, the basis of it. It is especially important with TPR, where there is no written support, and students rely mostly on memory. Only by repeating commands many times after the teacher and peers, students will internalize and memorize new words.

Internalization and memorization

There is a difference between memorization and internalization. <u>Memorization</u> deals with left-brain activity, when an exact copy of the input is created through numerous repetitions, such as memorization of a poem. <u>Internalization</u> deals with right-brain activity. According to Garcia, "internalization is long term memory that one can not only retrieve, but can manipulate." (Garcia, 2001, p.I-17)

Internalization could be explained on the example of teaching how to skate or to ski: you can instruct students in the techniques of skating or skiing, and they can memorize the steps but it will not be enough. Students will need to "catch the feeling" of either skating or skiing, and that feeling is "uninstructable" (Garcia, 2001, I-18).

Same happens with TPR - just memorization of vocabulary will not give a positive result, while learning through conscious perception and comprehension will increase the outcome and will result in fluency.

Types of TPR Exercises

Most TPR authors present four basic types of TPR exercises (Seely and Romijn, 1998, p.13):
1. Single commands and descriptions
2. Action series
3. Natural action dialogs.
4. Action Role-Playing.

The first two are classical TPR types while the other two are more like a combination of different techniques. Let's look at how we can use these types in practical teaching of Russian. Again, for beginning TPR exercises, try to limit your time to 10 minutes. Later, when you add more material, you can increase your time up to 30 minutes. Frequency of TPR teaching depends on your goal. With 50 minute classes every day, I usually do it 2 or 3 times a week.

Single commands and descriptions

Lesson 1. Start with first two commands and work on them with every student before moving to next commands:

сядь
встань
иди сюда
иди на место
стой

While doing these commands direct students with gestures only. Come to each student and say "сядь", "встань" by raising or lowering your hand.

Lesson 2. Add more commands and descriptions and practice them all including the ones from lesson 1.

иди	**танцуй**
беги	**танцуй сюда**
беги сюда	**танцуй на место**
беги на место	**стой тут**
прыгай	**стой там**

прыгай сюда
прыгай на место

Lesson 3. *Your students already know enough action commands. They are ready for descriptions.*

сядь на стул   **иди сюда быстро**
сядь на стол   **иди сюда медленно**
сядь на пол   **иди на место быстро**
встань на стул   **иди на место медленно**
встань на стол

Lesson 4. *Now you can combine new vocabulary describing concrete nouns with TPR commands. For example, show students "classroom objects" such as pen, pencil, book, notebook, map, etc. For TPR it is not recommended to work with a big vocabulary; introduce no more than 5-6 words at a time/lesson. Use simple technique of oral presentation and questions/answers like "What's this?" " Is this a book?" "Is this a book or a notebook?" After students feel comfortable with new words, mix them with TPR commands.*

дай
на
дай карандаш
на карандаш
дай ручку
на ручку
дай тетрадь
на тетрадь

Next step would be to make complex commands. You work longer with every student. Others have more time to watch and follow the process.

to student1: **встань, иди сюда, дай карандаш, иди на место, сядь на стул**
to student 2: **встань, иди сюда, дай ручку, беги на место, стой, сядь на пол.**
to student 3: **встань, иди сюда, дай тетрадь, танцуй, стой, иди на место**

As you can see, there can be dozens of combinations created by teacher. Also, when you give command " дай", make sure student says "на" in response. In addition to all that, it would be perfect time to teach or practice "спасибо" and "пожалуйста"

Lesson 5. *At this time you can add more words from the same vocabulary as well as more commands:*

возьми
возьми карандаш
возьми книгу
положи
положи книгу
положи книгу тут
положи книгу там
положи книгу на стол
положи книгу на пол

открой
открой книгу
открой тетрадь
закрой
закрой книгу
закрой тетрадь

Situations can look like this:

to student 1: **встань, возьми книгу, иди сюда быстро, дай книгу Марии** *(student gives the book to Marie: "На." - "Спасибо." - "Пожалуйста."),* **иди на место, сядь;**
to student 2 (Marie): **Мари, возьми книгу, встань, иди сюда, положи книгу на стол, сюда, пожалуйста, спасибо, сядь на пол.**

Again, you can re-arrange situations in different ways using various commands. These are the basics of creating first two types of TPR exercises. Using the same principles, teacher can create hundreds of situations for students to fulfil in the following lessons. Vocabulary can be taken from the textbook, or simply selected by teacher according to teaching goals. As you can see, it would not be difficult to add and practice more lexical units, such as adjectives (including colors), adverbs, or numbers. Here are examples of commands with colors (find objects of different colors, such as black, red and blue chairs, black and green pencils, etc):

сядь на чёрный стул
сядь на красный стул
сядь на синий стул
возьми чёрный карандаш
возьми зеленый карандаш
возьми красный карандаш
дай коричневую тетрадь
дай оранжевую тетрадь

Remember not to overload students with new words at one time. It is especially important with parts of speech other than nouns and verbs. It is noticed that adjectives and adverbs take more time for internalization, so limit your students to up to 3 new words per lesson and use them in as many combinations as possible. Do not be afraid that students will be confused in ending change in Russian masculine and feminine - at this time it is not relevant. More important would be for teacher to make students feel comfortable and relaxed, so they would have no fear or embarrassment to say things - right or wrong.

Action series

In the situations described above some action series were already presented, such as **встань, иди сюда, возьми карандаш, иди на место, сядь.** *These are action series artificially created by teacher for specific purposes, such as demonstration and practicing in class. Another type of action series can be called "real life" action series. For example, you and your students are working on the topic "Мой день". Numerous real life TPR situations based on action series can be created for your students, such as "how you get up", "how you wash your hands", how you brush your teeth", "how you go to school/home", "how you do your homework", "how you watch TV", "how you call your friend", etc. It is not necessary to cover all of them. You can select three or four for your practice. Here's how you can play "wash you hands" TPR exercise:*

Это **ванная.**
Вот вода. Это **кран.** *Открой кран.*
Вот **мыло.** *Возьми мыло.* **Намыль** *руки. Положи мыло на место.*
Вымой *руки.* **Мой, мой, мой.** *Хорошо.*
Вот **полотенце.** *Возьми полотенце.* **Вытри** *руки. Положи полотенце на место.*
Закрой кран.

From previous TPR exercises students already know such commands as **возьми, положи, открой, закрой, на место,** *etc. They can internalize words like* **мыло, полотенце, вода, кран** *if you are near real or artificially created sink or wash basin, especially after you perform the action series with several students giving them commands in turn. Later on students give commands to each other.*

Again, when creating action series exercises, base them on the same good old principle: <u>lots of repetitions</u> *from previously acquired vocabulary/commands and* <u>slow pace</u> *- no more than 3-5 new objects + 3-5 new actions per one action series. In the above example we see four new words: ванная, кран, мыло, полотенце, and four new actions: намыль, вымой, мой, вытри. Correct sequence of actions will help with faster internalization: everyone knows that you cannot wash hands unless you have water running and soap on your hands, and that you do not use towel until you are done with washing.*

Another example of action series describes <u>invitation to eat</u>:

Вот стул. Сядь за стол, пожалуйста.
Возьми ложку, вилку, нож.
Вот салфетка. На салфетку.
Вот суп. Ешь суп.
Вот сок. Пей сок.
Дай, пожалуйста, соль и перец. Спасибо.

Вкусно? Ещё суп? Ещё сок?
Положи, пожалуйста, тарелку, ложку, вилку, нож в раковину. Раковина
там. Спасибо.

In this situation vocabulary can be expanded later to unlimited names of foods, drinks, and dishes, as well as reaction phrases (such as **вкусно, очень вкусно, замечательно, нравится, не нравится,** etc.) and descriptive adjectives (**большая ложка - маленькая ложка, холодный суп - горячий суп, апельсиновый сок - яблочный сок,** etc.)

TPR Storytelling (TPRS)

Some TPR authors find story telling a very powerful means of teaching. Cantee Seele, for example, develops a whole system of how to work on TPRS (Seely, 1998, p.39). It is hard to tell where TPRS fits in the four basic types of TPR exercises described above. Most likely it is a combinations of all four plus other techniques, such as audio-lingual and communicative. In this manual we do not set a goal to define a storytelling status in the TPR system but we would rather concentrate on showing how TPRS can help to develop students' fluency in a Russian classroom.

Teacher can start with mini-drama and gradually expand the story. Here's an example:

Part 1. **Алёша и Булька идут гулять. Они идут в парк.**

Part 2. **Алёша видит монету в 5 рублей на дороге. Алёша берет монету. Алёша и Булька идут в магазин. Алёша хочет купить мороженое.**

Part 3. **Они видят Лену. Лена плачет, она потеряла деньги. Алёша даёт ей монету. Они идут в магазин. Лена покупает мороженое и печенье. Алёша ест мороженое. Лена тоже ест мороженое. Булька ест печенье. Все довольны.**

The **following steps** are necessary in preparation of this mini-drama performance. Work on each part separately and do not move on to the next part until you make sure that students know it very well.

1) Preparation time. Find people from advanced level who will play this drama while you will be reading it out loud. To make it look real, find all the necessary attributes: money, ice-cream, cookie, etc. On one side of the board draw a picture of a park with a sign "Парк"; on the other side draw a picture of "Магазин" with the same sign.

2) Reading out loud. Student-actors should play it. Read parts 2 and 3 only after

you are completely done with part 1. Teacher writes key words on the board.

3) *Checking students comprehension by asking questions. Student-actors can help acting out questions. You can change some of the questions to right/wrong statements or to multiple choice statements. Here are the questions for all three parts:*

Part 1.

Questions/statements	Recommendations/tips
Это <u>Алеша</u>? Это <u>Булька</u>? **Кто это? А кто это?**	point at people/dog
Булька это <u>собака</u>? **Булька это <u>кот</u>?**	use objects/pictures of cat/dog
Они идут <u>гулять</u>? **Они идут <u>играть в футбол</u>?** **Они идут <u>играть в хоккей</u>?**	student-actors help to act out
Они идут <u>в парк</u>? **Они идут <u>в кино</u>?** **Они идут <u>в школу</u>?**	draw pictures of those places and make signs for them in Russian

Part 2.

Questions/tips	Recommendations/tips
Алёша видит <u>карандаш</u>? **Алёша видит <u>книгу</u>?** **Алёша видит <u>монету</u>?** **Что видит Алёша?**	use real objects
Это монета в <u>5 рублей</u>? **Это монета в <u>10 рублей</u>?** **Это монета в <u>20 рублей</u>?**	you wil need 5, 20, and 20 rouble coins - use real or play money
Алёша видит монету <u>на столе</u>? **Алёша видит монету <u>на стуле</u>?** **Алёша видит монету <u>на дороге</u>?** **Где видит монету Алёша?**	you will need a chair and a table draw a road

Алеша <u>кладёт</u> монету? *Алёша <u>берёт</u> монету?* *Алёша <u>даёт</u> монету Бульке?*	act out
Алёша и Булька идут <u>в парк</u>? *Алёша и Булька идут <u>в школу</u>?* *Алёша и Булька идут <u>в магазин</u>?* *<u>Куда</u> они идут?*	pictures and signs of places
Алёша хочет купить <u>шоколад</u>? *Алёша хочет купить <u>компьютер</u>?* *Алёша хочет купить* *<u>мороженое</u>? Булька тоже хочет* *<u>мороженое</u>?* *<u>Что</u> хочет купить Алёша?*	use objects/pictures

Part 3

Questions/Statements	Recommendations/tips
Они видят <u>маму</u>? Они видят *<u>папу</u>? Они видят <u>Сашу</u>? Они* *видят <u>Лену</u>?* *<u>Кого</u> они видят?*	use people/pictures/photos
Лена <u>танцует</u>? Лена <u>бегает</u>? *Лена <u>играет в футбол</u>?* *Лена <u>плачет</u>?*	act out
Лена <u>потеряла книгу</u>? *Лена <u>потеряла карандаш</u>?* *Лена <u>потеряла деньги</u>?* *<u>Что</u> потеряла Лена?* *<u>Почему</u> Лена плачет?*	act out
Алёша даёт Лене <u>книгу</u>? *Алёша даёт Лене <u>карандаш</u>?* *Алёша даёт Лене <u>компьютер</u>?* *Алёша даёт Лене <u>монету</u>?* *Алёша даёт Лене <u>деньги</u>?* *<u>Что</u> даёт Алёша Лене?*	use objects

Они идут _в парк_? **Они идут _в школу_?** **Они идут _в магазин_?** **_Куда_ они идут?** **Лена покупает _компьютер_?** **Лена покупает _книгу_?** **Лена покупает _карандаш_?** **Лена покупает _мороженое_?** **Лена покупает _печенье_?** **_Что_ покупает Лена?**	_pictures and signs of places on the board_ _act out using objects/pictures_
Алёша ест _борщ_? Алёша ест _мороженое_? Алёша ест _шоколад_? Алёша ест _печенье_? **Лена ест _борщ_? Лена ест _шоколад_? Лена ест _мороженое_?** **Лена ест _печенье_?** **Булька ест _борщ_? Булька ест _шоколад_? Булька ест _печенье_?** **Что ест _Алёша_? Что ест _Лена_?** **Что ест _Булька_?** **Все _смеются_? Все _плачут_? Все _рады_?**	_act out using objects/pictures_ _act out using mimics_

4) One or two students retell the story in front of the class. Again, start with part 1 (ask strong students first).

5) Students work in pairs and retell the story in parts to each other.

6). Each student retells the story in front of the class/group in parts or as a whole. For TPRS it is recommended to divide big classes in smaller groups of no more than 10 people.

7) Students work on dialogs based on mini-drama story. Ask students to work in pairs and create a dialog based on the story. They can cover the whole story or only it's part, for example:

- **Кто это?**
- **Это Алёша.**
- **Кто это?**
- **Это Булька. Булька - собака.**
- **Что там?**
- **Там парк. Алёша и Булька идут в парк.**
- **Они идут в школу?**
- **Нет, они идут гулять в парк.**

8) Students <u>create a story of their own</u>. To make it easier for students, ask them to keep the same format, for example:

Вадим и Вера идут гулять. Они идут в парк. Вадим видит монету в 20 рублей на дороге. Вадим берет монету. Вадим хочет купить мороженое. Они идут в магазин. Они видят Сашу. Он плачет. Он хочет идти в кино, но он потерял деньги. Вадим, Вера и Саша идут в кинотеатр. Вадим покупает 3 билета в кино. Все довольны.

Then students practice and play the story (student-actors help). Class discussion follows.

9) <u>Expand the story.</u> In addition, teacher can create different real life mini situations that develop from the main story. In our case, it could be an act of buying ice-cream and cookies, which can be expanded to buying other things later. Teacher creates a new mini-drama and follows the same steps.

10) <u>Present the story in writing</u>. This is the time for students <u>to see</u> the story. Give them a printed version and practice reading and writing. This step can be also done after step 6. Teacher can make this decision based on different criteria, such as class/group size, successful performance of previous steps, etc.

As you probably noticed, first six steps of TPRS are based on original mini-drama stories created by teacher while steps 7 and 8 require creative approach involving students' activity based on previously acquired knowledge and their imagination.

Seely stresses the importance of making mini-drama stories interesting to class. Good acting can increase the level of success as well as bad acting can lead to a complete failure. "Even an interesting story can be made lifeless by a lifeless performance" (Seely, 1998, p. 52). When creating a story, think of an element of surprise - it is always more fun to work with unusual sequence of events rather than boring and predictable row of actions.

If you decide to include grammar in your TPRS, build your material on familiar vocabulary only. In our example, you can complete your mini-drama with Алёша, Булька и Лена in the present tense (as described above) and then do the same in the past or future tense. All you need to do is to change the verb forms to corresponding tenses.

TPR Games

It is hard to imagine learning a language without playing games. Games are a very powerful tool in any language activity when material is presented in entertaining way. TPR by itself can be called "a game". Students enjoy relaxed atmosphere in class; they fulfil all commands with interest and pleasure.

R.Garcia developed a whole set of TPR games for Spanish classes. One of them, called Pancho Carrancho, seems to be really interesting (Garcia, 2001, p.VI-1) as it could be adjusted to practically any language. Using Garcia's ideas, we will now try to look at how we can apply the idea of this game in teaching Russian.

"Vanyka-Vstanyka" or "Ванька-Встанька"

Vanyka-Vstanyka is folkloric name of a popular Russian doll: it always stands up right every time when you try to lay it down. It's a favorite toy of every Russian toddler. The name is easy to remember and fun to use. You can use this game for a lot of topics, such as family, household objects, classroom objects, foods, clothes, etc. You can also use it for grammar.

*To play the game, ask your students to make a big circle or arrange the rows of desks so students could face each other. Assign every student one word from new vocabulary, say, **an article of clothing**: брюки, юбка, пиджак, платье, etc. Pronounce that word out loud for the whole class to hear. Support every word with pictures or real clothes. Ask students to repeat what they are one by one. Do not forget to assign a word for yourself (for example, шорты). To start the game, say:*

> **Ванька-Встанька не носит шорты, он носит брюки.**

The "брюки" student has to react quickly and say:

> **Ванька-Встанька не носит брюки, он носит пиджак.**

It is now turn of "пиджак" student to say:

> **Ванька-Встанька не носит пиджак, он носит _____.**

The game can go on and on until students practice enough and remember all words. To make sure it's not simple memorization but internalization, ask students every time they say "не носит _____" to point out at that particular article of clothing (or show the picture). If a student does not react quickly (you set the time limit yourself), he or she loses, gets a penalty, but stays in the game. Someone should keep the score. At the end of the game, three students with highest scores are selected at random to perform a song, to recite a poem, or say something nice to a friend in the target language.

You can find vocabulary words for this game in every section of the textbook "I Want To Speak Russian!". However, you can play this game not only with words: you can assign students phrases and even sentences.

*Ванька-Встанька could be also used for teaching grammar. Here is an example how you arrange the game to study **the past tense**: assign students phrases in the past tense, such as: читал книгу, писал письмо, играл в футбол, делал уроки, смотрел кино, etc. The "magic" sentence to say will be: Ванька-Встанька вчера не делал уроки, он играл в футбол.*

Once students start playing Ванька-Встанька, you can't stop them. Every day they will be asking for more. Again, it is up to a teacher how often to play this game: every day or once a week. As it was said before, it depends on goals set for the class and techniques being used. This TPR game, however, could be played with every new topic, vocabulary or grammar. With proper organization and preparation, you cannot lose!

TPR Poems and Songs

Not only games are considered to be effective method in teaching languages. Poems and songs are also a very powerful tool. In addition to new vocabulary and grammar structures, they bring a lot of a fun and entertainment.

TPR through poems and songs is very effective as it is based on two important language learning principles: <u>repetitions</u> and <u>substitution.</u> Repetition is expressed by means of rhyme, or repetition of similar words/syllables at the end of each line. It works immediately helping students to memorize texts quickly. Substitution is an optional technique, and it is up to a teacher whether to use it or not. The use of substitution can help teacher to introduce new lexical and grammatical units with less effort. Being familiar with the original poem or song and having mechanism of memorization of the poem in place, students easily substitute and memorize familiar structures with new words and phrases.

A good example of how to do substitution could be demonstrated on a poem by Kornei Chukovskiy, "Мойдодыр":

> Одеяло убежало,
> Улетела простыня,
> И подушка, как лягушка,
> Ускакала от меня...

The first line in the poem is "одеяло убежало". Let's begin our exercise with the word "одеяло" and substitute it with other nouns. Select words from the poem first, then add easy and familiar words, and only after that you can add any words:

Neuter	Masculine	Feminine
полотенце убежало	стул убежал	книжка убежала
мыло убежало	стол убежал	тетрадка убежала
молоко убежало	мальчик убежал	мама убежала
метро убежало	брат убежал	сестра убежала
тесто убежало	автобус убежал	машина убежала
мороженое убежало	спортсмен убежал	актриса убежала

To extend the model, add "убежало <u>от меня</u>" followed by "убежало <u>от тебя</u>". You will have a row of unrealistic sentences like "полотенце убежало от меня", which later could be transformed to quite real "подруга убежала от меня", "почему подруга убежала от тебя?", "Подруга убежала от меня, потому что...".

The word "улетела" in "улетела простыня" works in the same way as it belongs to the same category of verbs: verbs of motion. Practically, you repeat the same exercise twice with a slight difference in meaning between "убежало" and "улетело".

Next two lines set an example of comparison: "подушка как лягушка". Using comparative element "как", you can even play a game of funny comparisons.

подушка как лягушка	**Борис как слон**
сестра как лиса	**Наташа, как кенгуру**
брат как медведь	**Марина как птичка**

Again, a TPR game "Ванька-Встанька" would be fun to play. Students can be assigned names of animals and at least one verb or adjective that describes actions or characterizes that particular animal (неуклюжий/медведь/толкает, хитрая/лиса/ обманывает). When using names of animals to describe students in class, try to make it funny but not offensive. The game can be played in a simple way: students say their phrases one by one. Then you can extend phrases, building sentences:

подушка, как лягушка, ускакала от меня
Ванька-Встанька, как мартышка, убежал от меня
сестра, как лиса, обманула меня
брат, как медведь, толкнул меня
Борис, как слон, наступил на меня
Наташа, как кенгуру, прыгнула на меня

Another good resource for poetic technique could be a piece of poetry written by Kornei Chukovskiy, "Tarakan" (see the textbook, page 176).

Ехали медведи на велосипеде,
А за ними кот задом наперед,
А за ним комарики на воздушном шарике,
А за ними раки на хромой собаке...

...Едут и смеются, пряники жуют.

You can do substitution exercises at first:

Ехали медведи на велосипеде
Ехали студенты на автобусе
Ехали школьники на поезде
Ехали артисты на машине

For "Ванька-Встанька" students can simply continue your list which you begin with a sentence: "Ехал Ванька-Встанька на велосипеде".
The following sentences could look like this:

Ехал Ванька-Встанька на велосипеде,
А за ним студенты на поезде,
А за ними школьники на автобусе,
А за ними милиционер на машине,
А за ним родители - пешком,
А за ними бабушки и дедушки на телеге,
А за ними _____

Едут и смеются, песни поют.
Едут и смеются, конфеты жуют
Едут и смеются, говорят по-русски
Едут и смеются,_____.

You are now working on a new substitution row which can be continued by students.

This method of poetic substitution could be used with almost every topic. A teacher can prepare a list of short poems in advance and write models and possible variants of substitution. All extra effort and time spent by teacher on this kind of work will be rewarded later by excellent student performance.

Working with projects

Projects are a very important part of teaching/learning process. In projects students not only demonstrate what they learned and practiced in class but also show how they can apply their knowledge in real life situations. In addition, they develop their creativity and imagination.

There can be a lot of different and interesting projects for almost every topic. Some of them are suggested in this book. When you assign your class project works, make sure you present goals clearly and create rubrics for assessment. You can use some of the rubrics already discussed in this book as well as the rubrics that you will find below. However, keep in mind that all of these rubrics may not work well in some classroom settings: when choosing rubrics, always adjust them to specific needs of your class and your teaching goals.

Projects for Russian 1

Weather and Calendar:

1) Make up your own Russian calendar.

Goal: teach students vocabulary on days of the week and months; make students familiar with cultural elements, such as Russian calendar and Russian holidays.

How to: Show students Russian calendar and explain the difference between Russian and American calendar in format and in contents. Tell students about Russian holidays marked on the calendar. Ask students to make up a Russian calendar of their own. They can make a year calendar as a poster or album, or they can simply chose one month and make a one month calendar. When they finish, display all calendars on the board for discussion and judging.

Main rubrics recommended for this project:
a) cultural relevance (correct use of dates, holidays, weekends, etc);
b) proper use of grammar and vocabulary (minimum or errors);
c) cultural information on cover page (from additional sources);
d) visual information to support cultural facts (pictures, photos, etc);
e) neatness.

2) Create a weather forecast for a week:

Goal: teach students vocabulary on weather; make students familiar with cultural elements, such as climate and weather in different areas of Russia.

How to: ask students to predict weather for every day of the following week. For each day they have to write at least three sentences describing weather and draw/cut and paste pictures from magazines. Display pictures on the board next week to see who was the closest in predictions.

Main rubrics:
a) proper use of grammar and vocabulary (minimum or errors);
b) visual information (pictures, photos, etc);
c) level of "predicting";
d) neatness.

Body Parts: create a body

Goal: teach students vocabulary on body parts

How to: arrange students in groups of 3-4; give them construction paper and markers; ask them to draw a body and label: a) body parts included in textbook vocabulary (page 20); b) body parts not included in textbook vocabulary, such as cheek, chin, elbow, etc (use dictionary for this purpose); ask each group to "present" their body figure to class in creative form: poem or funny short description, for example: "This is Boris. He is a dentist. He has one head, two eyes, one nose and thirty six teeth!" After this students pick 2-3 new words describing human body to teach them to class.

Rubrics:
a) correct spelling and vocabulary (minimum or errors);
b) clear visual information (body parts and labels);
c) good and appropriate selection of new words from a dictionary;
d) creative presentation of posters (poem, story, etc);
e) clarity of presentation.

City: create a city map

Goal: practice vocabulary on topic "City"

How to: students can work individually or in small groups. Ask them to draw a map of their city. The map should include interesting places and possibly transportation. Students can do only downtown area if they want to.

Rubrics:
a) good and clear visual presentation; b) correct spelling; c) wide selection of places of interest; d) creative approach.

Another interesting way to do this kind of work would be to ask students to find a city map of any Russian city on Internet, copy it, translate it to English, and present it to class.

Topical projects for Russian 1:

My family: create a family tree or family album.
My day: make up your daily schedule (on a poster).
Clothes: arrange a show fashion (with student models).
My house: create a floor plan of your house and present it.

Topical projects for Russian 2:

Vacation: make a presentation on your dream vacation.
Art: 1) cultural presentations about famous Russian artists;
             2) create your own TV guide in Russian with pictures and ads;
             3) make a presentation of your favorite TV show.

Shopping: 1) play "shopping for food" in Russian with different food counters, salespeople and customers, play money and real/fake foods.

2) find a shopping site on Internet (such as Moscow GUM) and give students assignment to find certain products and create "shopping baskets" (in Russian).
3) arrange a shopping tour in Russian in one of the local shops.

Moscow and St.Petersburg:
1) find a map of Moscow/St.Petersburg on Internet; point out famous sites and describe them (can be group or individual work);
2) find interesting information and pictures about cultural places in Moscow/St.Petersburg and make a presentation.
3) select a Russian city, find information and pictures about it and make a presentation;
4) make similar presentations on American cities.

Projects for Russian 3 and Russian 4:

For advanced levels a teacher can create more real life situations, such as: a visit to a post office, airport, restaurant, department store, etc. Discussions should follow up in Russian. Students can work with additional literature and Internet, and they can spend a lot more time on expanding their cultural knowledge, such as learning more about most popular Russian transportation, ways of communication, favorite holidays, etc. One of the most popular projects is to you ask student to open a Russian restaurant in their city, or American restaurant in Russia. Students prepare all menus, prices, ads, etc.

Dubbing movies and cartoons are most favorite projects of advanced students. If you dub a few funny Russian cartoons (such as Winnie-The-Pooh, Russian version) and then show them to students in middle or elementary schools, in addition to positive experience to your students, you will reach another goal: promote Russian language learning in your city/community.

On the next few pages you will find samples of my students' works.

Я просыпаюсь утром в 6:30 часов.
Я встаю, чищу зубы, и одеваюсь в 6:50.
Я еду в школу на автобусе утром в 7:00.

Я учусь в школе днём.
Потом, я делаю уроки, и ужинаю вечером в 7 часов.

Я смотрю телевизор вечером в 8 часов.
Я иду в душ чищу зубы вечером в 9 часов

Я иду спать вечером в 10 часов.

Ноябрь

Понедельник	Вторник	Среда	Четверг	Пятница	Суббота	Воскресенье
		1	2	3	4	5
6	7	8	9	10	11	12
13	14	15	16	17	18	19
20	21	22	23	24	25	26
27	28	29	30			

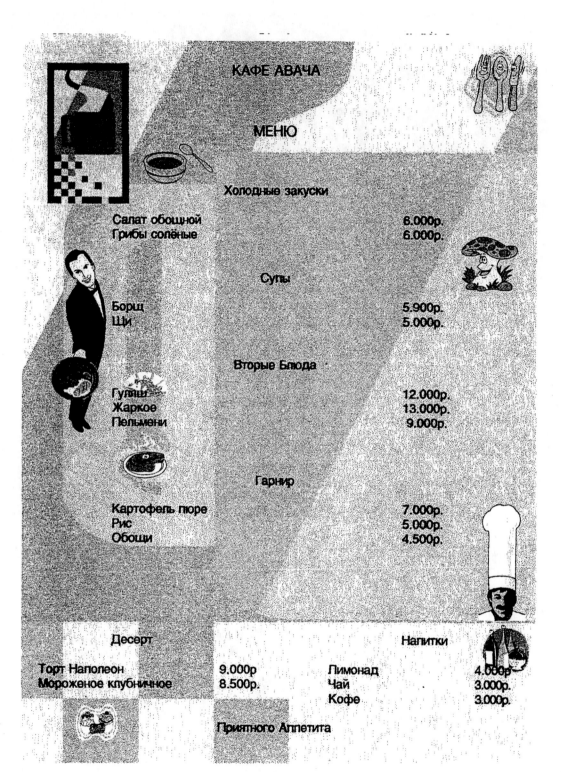

КАФЕ АВАЧА

МЕНЮ

Холодные закуски

| Салат обощной | 6.000р. |
| Грибы солёные | 6.000р. |

Супы

| Борщ | 5.900р. |
| Щи | 5.000р. |

Вторые Блюда

Гуляш	12.000р.
Жаркое	13.000р.
Пельмени	9.000р.

Гарнир

Картофель пюре	7.000р.
Рис	5.000р.
Обощи	4.500р.

Десерт

| Торт Наполеон | 9.000р |
| Мороженое клубничное | 8.500р. |

Напитки

Лимонад	4.000р
Чай	3.000р.
Кофе	3.000р.

Приятного Аппетита

58

БУФЕТ ДЕШЁВЫЙ

МЕНЮ

Холодные Закуски

Салат из сада (трава)	900р
Сыр американский "Чиз Виз"	2999р
Колбаса дикобраза	1999р

Супы

Каменый суп	400р

Горячние

Вареники с спамом	5000р
"Тунец помощник"	7000р

Гарнир

Макароны с сыром ("Крафт")	5000р
Картофельное пюре (из "коробкы")	4000р

Десерт

Торт "Губка"	1000р

Напитки

Вода	1000р
Кофе вчера	2000р

Students create their own activities/exercises for class on different topics in Art section (музыка, театр, живопись, кино). Here is the example of "музыка":

Музыка!

ъ	д	г	я	э	к	л	ч	х	г	з	а	е	ш	р	о	й	ё	ы	о	н
ф	о	б	л	н	я	ц	и	д	р	ы	т	в	ж	е	г	х	ю	ч	з	а
к	л	а	с	с	и	ч	е	с	к	а	я	н	у	з	ы	к	а	я	н	и

ё	м	л	ч	б	м	в	н	б	р	а	т	у	з	п	ф	а	н	в	о	д	а
ш	ю	е	я	ж	х	у	к	о	м	п	о	у	з	и	т	о	р	ч	о	д	а
н	д	т	п	а	о	б	р	в	я	г	о	й	ы	э	н	л	к	с	и	т	а
й	б	м	л	у	к	л	а	с	е	в	р	к	р	й	с	в	э	р	б	ы
п	к	о	н	ц	е	р	т	н	ы	й	з	а	л	ц	а	ё	с	и	ш	з
з	с	ж	я	и	е	д	ё	ш	о	з	й	н	н	е	т	п	а	ж	н	у
а	о	с	у	р	г	с	н	о	в	п	я	т	м	к	к	ц	р	ё	ф	м
м	б	и	я	т	ы	л	о	з	о	н	ы	е	е	т	в	ж	л	п	о	л
о	ч	а	к	а	з	а	к	о	й	ч	а	е	р	т	о	б	ы	з	а	л
е	в	н	й	г	п	л	б	з	а	т	е	г	у	з	т	н	й	з	а	л
д	ы	з	о	ж	к	о	ш	к	а	ё	и	з	й	д	м	и	ц	е	г	о	н
ч	т	ы	п	у	б	а	н	в	д	г	р	м	л	я	т	ч	и	д	ф	э	с	д
ф	а	с	л	ш	й	с	п	й	а	ф	н	а	ж	е	н	а	н	е	л
м	р	г	н	з	я	л	е	н	а	щ	у	м	к	в	г	б	э	н	е	т
э	с	т	р	а	д	н	ы	й	о	р	к	е	с	т	р	л	м	р	п	с
ю	х	н	ь	и	в	с	т	а	р	г	ц	ш	ф	о	д	а	я	и	у	э
з	с	и	м	ф	о	н	и	ч	е	с	к	а	я	н	у	з	ы	к	а	н
б	ы	х	г	п	л	х	с	т	д	й	о	п	р	ч	ш	ь	м	з	е	в
а	в	л	н	р	я	о	у	к	ы	з	у	н	ь	т	я	н	и	ч	о	с
ю	п	х	ф	б	у	р	и	л	с	о	ч	й	а	я	т	б	з	ь	м	г

Find The Words For:
- classical music
- symphony music
- variety music
- concert hall
- variety orchestra (band)
- opera
- ballet
- choir
- musical
- composer
- to compose
- conductor
- musician

60

*This is an example of how to **make up a story** using selected words and phrases (see textbook "I Want To Speak Russian!", exercise 11, page 102):*

Спектакль

Стаси.

Когда, я пришла в театр. Там была большая толпа, все шумели и кричали. Там была очередь и я решила стоять до конца. Там шёл мой любимый спектакль. Трудно было сказать сколько время прошло. Наконец-то, я купила билет, и я забыла спросить как называется спектакль. Спектакль начался и я была сердита-это не мой спектакль- спектакль плохой. Потом я вспомнила-мой спектакль будет завтра.

*After reading the story "**Что я люблю**" by Victor Dragunsky, on page 181 of the textbook, students create their own stories, just like the one below. With some help from the teacher, they translate the stories into Russian and let other students read and guess who the author of the story is.*

<u>Что я люблю</u>

by Lisa Donner, 10th grade
(with some corrections)

Я люблю цветы. Я люблю совать мой нос в их лепестки и нюхать запах. Но я никогда не рву цветы. Я не люблю, когда люди рвут цветы и я хочу кричать на них: "Не рвите цветы!"

Я люблю больших собак. Я не люблю маленьких собак, они злые и свирепые, с очень острыми зубами. Они лают "ав, ав" и это режет мне уши. Мне всегда хочется наступить на всех маленьких собак.

Больше всего я люблю рисовать пальцами ног. Я люблю рисовать больших собак и цветы.

Стихи
"Ехали медведи…"

(from page 176, translated by Ian Stangl, 11th grade)

Bears were riding on a bike
-they knew where they were going-
though behind them was a feline reversed
on a mower which was not mowing.
Following them were mosquitoes
resting in a hot air balloon
backed up by lobsters on a limping dog
howling at yesterday's moon
The wolves were saddled on a mare
the lions driving a Ford,
rabbits in a tram, toads on a broom
sweeping fast and hard.
All were driving, to where we know not,
such is yet to be found;
someone passed some cookies out
all were laughing long and loud.

Translation of texts from the textbook
"I Want To Speak Russian!"

Теремок - Little Castle

(from page179, translated by Marie Helm)

Sly Fly built a castle and lived there. Freddie Flea hurrying by, saw the castle and knocked, tap, tap, tap.
  "Who, who lives in this castle? Who, who lives in this little place?"
  "I, Sly Fly. Who are you?"
  "I'm Freddie Flea."
  "Come and live with me."

Bandito Mosquito flying by, saw the castle and knocked, tap, tap, tap.
  "Who, who lives in this castle? Who, who lives in this little place?"
  "I, Sly Fly.
  "I, Freddie Flea. Who are you?"
  "I'm Bandito Mosquito."
  "Come and live with us."

Squeeky Mouse running by, saw the castle and knocked, tap, tap, tap.
  "Who, who lives in this castle? Who, who lives in this little place?"
  "I, Sly Fly.
  "I, Freddie Flea."
  "I, Bandito Mosquito. Who are you?"
  "I'm Squeeky Mouse.
  "Come and live with us."

Hoppity Frog leaping by, saw the castle and knocked, tap, tap, tap.
  "Who, who lives in this castle? Who, who lives in this little place?"
  "I, Sly Fly.
  "I, Freddie Flea."
  "I, Bandito Mosquito."
  "I, Squeeky Mouse. Who are you?"
  "I'm Hoppity Frog"
  "Come and live with us."

Bouncy Bunny hopping by, saw the castle and knocked, tap, tap, tap.
  "Who, who lives in this castle? Who, who lives in this little place?"
  "I, Sly Fly.
  "I, Freddie Flea."
  "I, Bandito Mosquito."
  "I, Squeeky Mouse."
  "I, Hoppity Frog. Who are you?"
  "I'm Bouncing Bunny."

"Come and live with us."

Foxy Loxy walking by, saw the castle and knocked, tap, tap, tap.
   "Who, who lives in this castle? Who, who lives in this little place?"
   "I, Sly Fly.
   "I, Freddie Flea."
   "I, Bandito Mosquito."
   "I, Squeeky Mouse."
   "I, Hoppity Frog."
   "I, Bouncing Bunny.Who are you?"
   "I'm Foxy Loxy."
   "Come and live with us."

Rumbly-Grumbly Bear walking by, saw the castle and knocked, BAM, BAM, BAM.
   "Who, who lives in this castle? Who, who lives in this little place?"
   "I, Sly Fly.
   "I, Freddie Flea."
   "I, Bandito Mosquito."
   "I, Squeeky Mouse."
   "I, Hoppity Frog."
   "I, Bouncing Bunny."
   "I'm Foxy Loxy.Who are you?"
   "I'm Rumbly-Grumbly Bear."
   "Come and live with us."
   "No, no, I'm really huge. I'll live on the roof, it's better!"

Rumbly-Grumbly Bear sat on the roof and crushed the castle. Everyone jumped out just in the nick of time.

Что я люблю... - What I Like...

(from page 181, translated by Marie Helm)

I really like to lay on my dad's lap and let my arms and legs hang down like laundry hanging on a fence. I also really like to play checkers, chess and dominos, but only when I win! If I can't win, then I don't want to play.
   I like the mornings on weekends when I climb into bed with dad and we talk about getting a dog: how we'll buy it, how I'll feed it and how smart and funny it will be.
   I like to watch television: it doesn't matter what's on, even if they're only showing the tables. I especially like to sing and I'm always singing very loudly.
   I like to stand in front of the mirror and make faces.
   I also like to swim where the water isn't deep and I can hold the bottom with my hands.

I really like to make phone calls. When I read, I love to munch cookies or something else. I like it when company comes over.

I also like snakes, lizards and frogs. I love it when snake lays on the table when I'm eating lunch. I like it when Grandma yells, "Get that horrible thing out of here!" and runs away.

I like to laugh. Sometimes I don't feel like laughing, but I make myself laugh anyway and in about five minutes it really becomes funny.

When I'm in good mood, I like to hop. One time when my dad and I went to the zoo, I hopped all around him outside and he asked:
"Why are you hopping?"
And I said, "I am hopping because you're my dad!"

I like to go to the zoo. There are wonderful elephants there and also one little elephant. When we have a big apartment we'll buy the little elephant. I'll build him a garage.

I really like to stand behind cars when they're puffing out smoke and smell the gas.

I like to go to a cafe and eat ice cream and wash it down with lemonade.

When I run, I like to stamp my feet.

I really love horses 'cause they have beautiful, kind faces.

There are lots of things I like!

Тайное становится явным

What goes around, comes around...

(from page 182, translated by 10th and 11th grade students)

I heard Mama said, "What goes around, comes around..."
I asked, "What does it mean, Mama: what goes around, comes around?"
"This means, if somebody acts dishonestly, it doesn't matter, the truth will come out anyway. Understand? Now go to bed."
I brushed my teeth and went to bed, but I couldn't sleep and I thought all the time: how is that - the truth comes out? When I finally woke up, it was morning and papa was already at work. I brushed my teeth again and started my breakfast. Mama had prepared a big bowl of kasha - cream of wheat.
"Eat," said Mama.
I said, "I can't even look at cream of wheat!"
Then Mama said, "Do you want us to go to the Kremlin?"
Kremlin! I have been there, and it has been very interesting. So I answered very quickly:
"Of course I want to go to the Kremlin! I want to go very much!
"All right, then eat your kasha, and we'll go."
Mama went off to the kitchen. I was left with kasha. I tried it. Then I added salt. I can't eat this! Maybe I should put more sugar in it. Added it, tasted it... It made it even worse. I hate cream of wheat! It was very thick. I put some boiling

water in it. It was still slippery, sticky and nasty. How frustrating! I want to Kremlin so badly! I remembered we had horseradish. I put the whole jar into the kasha. I tasted it, and my eyes came out of my head! I grabbed the bowl, quickly ran to the window and poured the kasha out onto the street. Then I sat back down to the table.

Mama came in. She saw the bowl and said:

"Good job! You finished all of your kasha! Get dressed, we are going to the Kremlin!"

Suddenly the door opened, and there was a policeman.

"Hello," he said and went to the window.

"What can I do for you?" asked Mama

"Shame on you! You have a new apartment with a garbage disposal, but you toss all sorts of garbage out the window."

"What? I am not littering..."

"Oh, no? Not littering?" said the officer. He opened the door:

"Come here."

Some man walked in. I looked at him, and the next minute I knew I wasn't going to the Kremlin... He was wearing a hat, and all over his hat was... our kasha.

He said, "I was going to take a picture, and suddenly... kasha... cream of wheat... hot...."

Mother looked at me and her eyes were as green as gooseberries. I knew that Mama was very angry.

"Excuse us, please." She said quietly. "Let me help..."

When Mama came back, I was afraid to look at her, but I said, "Yes, Mama, what you said yesterday was true: what goes around, comes around..."

Mama looked into my eyes. She was looking at me for a long time and then she said:

"Will you remember this for the rest of your life?"

And I answered, "Yes."

Куриный бульон - Chicken Soup

(from page 183, translated by Genevieve Gagne-Haws, 11th grade)

One day, Mama brought home a big chicken, hung it up outside the window, and said: "If your father comes home early, have him cook this chicken and we'll eat it for dinner. You'll help him, all right?"

"With pleasure"

With that Mama headed off to school. I got my paints and began to draw. At first, I wanted to draw a squirrel jumping about in the forest, but my final picture didn't look like a squirrel at all. It looked like some scary guy instead. When Papa came home, I said:

"Guess what this is, Papa."

He looked and said, "Fire?"

I said crossly, "What do you mean, Papa? Look carefully!"

Papa looked again and said,

"Oh, I'm sorry. It's probably something about soccer..."

I said, "Papa, are you tired?"

"No. I just want to eat... Do you know what's for supper?"

I said, "Don't worry. Here's a chicken - cook it, and we can eat!"

Papa took a chicken and put it on the table. He looked around for a moment, then said, "It's easy to say 'cook it'. How does she want me to do this? You can prepare many things from chicken, many tasty dishes. For example, there is rissole, or rissole chicken kiev, or cutlets... Or you can make chicken with noodles, or you can press it with an iron and make 'tobacco chicken'. Which do you want to do?"

I said,

"Papa, let's do this without using an iron. This has to be fast! Understand?"

"You are right! You know what we can do with that fast? Chicken soup!"

"Of course, it's simple! You just put the chicken in water and wait, and soon dinner is finished!"

I said, "What do you need me to do?"

"Look, see how this chicken is hairy? Cut that hair off. Meanwhile, I'll go to the kitchen and boil the water."

He went off to the kitchen. I began to cut off the hair on the chicken. At first I thought that there wasn't much, but as I worked, I saw that there was quite a lot!

Papa came into the room, saw what I'd done, and said:

"Hurry up, you're working too slowly."

He watched for a moment, then said suddenly:

"I forgot! We need to burn the chicken over the stove! That's how they get the hair off! Come here!"

He ran off to the kitchen.

We turned on the gas and put the chicken on the flame. There was a strong smell of burning. Papa said,

"Now, now, little chicken, now you will turn clean and white.

On the contrary, the chicken turned black and ugly.

Papa said,

"I think, our chicken is smoked. Don't you love smoked chicken?"

I said, "No, it's not smoked; it's simply dirty. Come on, I'll go wash it off."

"You are right, my fine fellow, you have a good head! Here, wash the chicken!"

I turned on the tap, and began to wash the chicken. The chicken was hot and dirty, and my hands were also dirty.

"Look at what you did, Papa! The chicken doesn't wash!"

Papa came running into the bathroom, carrying soap.

"Here, lather it up with this!"

I put the soap on the chicken, but it was still all dirty and ugly.

Papa sighed and said,

"Here's a brush. Now, scrub it well!"

I began to brush. I brushed, and brushed, and brushed... Papa sat on a stool and watched me work. After a few moments, Papa said,

"Work better! Oh, no, you can't do it at all!"

I got offended:

"Here, do it yourself!"

I wanted to give him the chicken, but suddenly, it jumped out of my hand and leaped toward the cupboard. It landed and slid under it. Papa sighed, and then took a stick and tried to reach the chicken. First, he pulled out an old mousetrap, then an old sock, and, finally, the chicken... The chicken was dusty, and Papa was all red from the exertion. He turned on the tap again. Quickly, he washed the chicken and put it in a saucepan.

Just then, Mama came home.

"What are you doing here?"

"The chicken is cooking!"

"How long has it been on?"

"Just washed it."

"Did you put on salt?"

"Later."

"Did you even gut it?"

"Later."

Mama sighed, pulled the chicken from the pot, and said:

"Bring me the apron; some cooks you are!"

I gave Mama the apron and asked her about my drawing:

"Mama, guess what I drew!"

"It's a vacuum cleaner, right?"

Translation of the stories from Part 4

Телеграмма - The Telegram

(from page 114, translated by 11th grade students)

"Hello, what are you doing here?"

I turned around. It was my friend, Slavik the Professor. We called him the Professor, because he always seemed to know everything, and he really liked to give advice.

"I need to send a telegram to my wife." I said.

"Why?" Slavik asked

"Because she is on vacation, in the South. She left when I still had to work, but today was my last day at work, and tomorrow I'm also heading to the South.

"Show me what you wrote in your telegram."

I showed him what I had written. 'Work concluded today STOP departing Moscow tomorrow flight 112 STOP meet me STOP kisses Vadim'

" Well," said Slavik, "I thought so. You don't know anything about telegrams. Who writes like this?"

"How do I need to write?"

"Here, I'll show you. Give me the telegram."

I gave him the blue form.

"Ah-ha! I though so!"

"What?"

"Here you write: 'Work concluded today.' Why did you put that?"

"What do you mean, why?" I asked, surprised.

"Your wife knows very well that if you are departing, you must be done with your work. Right?

"Right."

He took a pencil and crossed out "Work concluded today". Then he re-read the telegram and crossed out "Moscow".

"Why?" I asked shyly.

"Do you mean to say that your wife doesn't know where you live?"

"No, but..."

"No buts."

Next he crossed out "flight 112."

"There is only one flight from Moscow to Krasnodar; your wife can always find out its number by telephone."

After this he crossed out "departing tomorrow."

"You wrote here 'meet me', so your wife knows that you fly.

"Fine! Give me the telegram!"

"No, no, wait! I still need to cross out 'kisses' ".

"And why is that?"

"Your wife knows that you love her, and you will kiss her when you arrive. All right, looks good now: "Meet me. Vadim" Now you can send it. No, no, wait!"

"What is it again?"

"I think that..."

And here I got an idea.

"Well, of course, my wife knows that it is I who goes South, and that Vadim - it is I, and that I - it is Vadim. Well done, eh? To hell with the telegram, I will call her on the phone!"

And I tore up the form.

"Ah, you!" said Slavik, offended. "Now, just like always, I help and help, and all for nothing!"

And he left, slamming the door behind him.

I took a blank form and wrote the new text: "Work concluded today STOP departing Moscow tomorrow flight 112 STOP meet me STOP kisses Vadim"

Пожар - The Fire

(from page 123, translated by Nicole Monroe, original version)

I was sitting on the couch reading my favorite "Sports" when Vera, my wife, ran into the room.

"Vadim, fire!"

"What? Where? When?"

"I don't know, but we are on fire!"

I ran to the hallway. Oh my God! There was smoke everywhere!

"Calm down, Vera, don't panic." I said nervously. "Where's the telephone? Here it is. Now, I'll dial the number: zero, one... Ah, dammit, the number is busy! Once again: zero, one. Hello, hello! Fire department? Fire! We are on fire!"

"Wait for reply... Wait for reply... Wait for reply..." I heard a mechanical voice.

I was about to hang up the phone, but I suddenly heard:

"Hello, I am listening. What is it?"

"Fire!!!"

"Fire? I'm very sorry, but you've dialed the wrong number. The fire department is 01, and this is the ambulance. Call here after the fire."

I started dialing 01 again. Busy again! What's wrong with these people? Or is every place in town on fire? At last I heard a voice:

"I'm listening"

"Hello, we are on fire! Fire!"

"Who's talking? What tire? Talk louder, I can't hear you."

"Fire! Fire! Get over here!!!"

"Why are you yelling? Don't yell, I can hear everything perfectly well. You are hot? So what? I'm also hot, and there is not water.

They hung up the phone.

"Vadim, what is it? Did you call the fire station? What did they say?"

"Nothing. I will call again. Listen, Vera, go to the bathroom, fill a jar with water and put the fire out. I think the fire is in the kitchen."

"Vadim, I can't! There is smoke everywhere, I'm scared!"

"Don't be afraid, I will call now and then I will help you."

Vera left, and I dialed again.

Dial tone, busy signal, dial tone. Yes! I hear a voice!

"Fire brigade here."

"Fire brigade? Praise God! Please, don't hang up the phone! It's hot here... I mean, we are on fire! F-i-r-e!!!"

"Address?"

"124 Arbat, apartment 33."

"We're coming! Wait for fire brigade #1."

I hung up the phone. At last! Then I saw Vera. She was standing in the hall way with a jar in her hands.

"Vadim, I..."

"There, there Verochka, everything is okay, the fire brigade is on there way."

"Vadim, I... Sorry, I don't know how to say it. The other night, when you came home, remember, there was heavy rain? Your socks were wet. I hung them over the stove. Today I forgot..."

"What???"

"Vadim, I think there is no fire. It's just your socks - smoking...

I opened my mouth to say something, when suddenly heard a loud knock on the door. I sighed. The fire brigade was here...

Пожар - The Fire

(translated by Bryson Buck, 11th grade, creative translation)

I was sitting on my chair reading the latest swimsuit issue of "Sports Illustrated" when my wife Claudia ran into the room.
"Bryson, FIRE!!!!!"
"What? Where? When?"
"I don't know but our new mansion is burning down."
I ran through the hall. Oh my God! There was smoke everywhere!
"Bryson, you need to call the Fire station."
"Don't worry, Claudia, don't panic. Where is the phone? Here it is!"
911. Dammit, busy! Okay, let's try again. 9...1...1.
"Hello, this is the automated operator. For police press 1, for emergency press 2, for fire press 3, for ambulance press 4."
Okay, it's 3.
"Hello, I am listening. What happened?"
"Fire!!!"
"Fire? I am sorry, you must have pressed the wrong number. You should have pressed 3, but you pressed 4. This is the ambulance; call here after the fire."
I dialed 911 again. It's busy again. What the hell is wrong with these people? Is the whole country on fire? I dialed again and pressed 3, then I heard a voice say:
"I'm listening."
"Hello? Our mansion is burning down, FIRE!
"Who is talking? What? Manson is wearing a gown? Talk louder, I can't hear you."
"Hot, fire, come over!"
"Why are you screaming? Don't yell, I can hear you fine. Hot? So what? It's hot everywhere in Beverly Hills, and we don't even have water."
I hung up the phone.
"Bryson..."
"Honey, what is it?"
"Did they pick up at the fire station? What did they say?"
"Nothing, let's try again. Hey, Claudia, go to the bathroom, get a bucket of water, and try to put out the fire. I think it's in the kitchen."
"Bryson, I can't. There is smoke everywhere, I'm scared and afraid."
"Don't be afraid, honey, I will finish it here now and later will help you."
Claudia left, and I dialed again. Busy, busy, busy... Jeez, this is getting ridiculous. Finally a voice, yeah!
"Fire station here."
"Fire station? Thank God! Don't hang up the phone, I've had a hell of a time

trying to reach you guys. Our house is burning down, we have a fire, you hear me? Fire! F-i-r-e!!!

"Address?"

"1872 Rich Road. The big house with the Ferrari in the driveway.

"Fire Truck #1 head out."

"Finally!"

I hung up the phone. Then I saw Claudia. She was standing in the hall with a bucket of water in her hands.

"Bryson, I..."

"There, there Claudia, everything is okay. The fire Department is on there way."

"Bryson, I... Sorry, I don't know what to say. Remember how our dryer broke after we jumped in the pool with our clothes on last night? And you do remember how I had the maid hang your boxers over the fire place to dry? Well... today is her day off, and I forgot to take them down."

"What?!"

"Bryson, the smoke and the fire were just in your boxers."

I opened my mouth to laugh, when I heard a knocking at the door. Then I realized that the firemen were cutting down my door with their axes...

"Приятное" путешествие - "Pleasant" Trip

(from page 132, translated by Jane Severine, 11ᵗʰ grade)

On that day, I was watching the famous soccer match between "Dinamo" and "Spartacus" on TV. Vera was at a resort in Krasnodar and I felt like a free man. Suddenly, the phone rang. I heard a strange voice.

"Hey, old man, listen carefully! If you ever want to see your wife alive again, get on a plane this instant, and fly to Krasnodar. Take a million with you, put the money into the suitcase, and give the suitcase to the one-eyed man who will meet you at the airport. If you call the police, your wife will die! Understand? Go!"

Oh, my God! What a nightmare! How terrible!!! I didn't know what to do. Poor Vera! I had to rescue her. Call the police? This is dangerous, the criminals might kill her. A million... I don't have this kind of money. I never did. No, I need to go to Krasnodar, and then I will see.

Ah hour later, I was at the airport.

"Sir, where to?"

"I need a ticket to Krasnodar, hurry!"

"Sir, there are no flights today, only tomorrow."

"But I need it today!"

"What's that? Is your summer house on fire? All right, you can fly to Novorossiysk, and take a bus to Krasnodar from there, it's a two hour drive. Well, are we flying?"

"When is the flight?"

"In an hour, but the check in is already in progress."

"Okay, let's do it."

I ran to the counter.

"Sir, your passport and ticket. Put your baggage here."

"Here's my ticket. I don't have any baggage."

"What? No baggage? How's that?"

"I don't have it. That's it."

The girl looked at me strangely and began calling some place. I didn't hear what she was saying: ahead of me there was a loud commotion. Some guy wanted to take a huge extra weight bag with him, but he didn't want to pay, or, perhaps, he didn't have money. Suddenly I saw a policeman walk toward me.

"Sir, your documents, please. Where is your baggage?"

"Why do you need my baggage?"

"You are not riding a taxi - you are flying on a plane. If you don't have bags, that means something is wrong."

While he was studying my ticket, I had an idea. I turned to the guy with extra bag.

"Hey, man, listen, give me your bag for a minute!"

"Are you crazy? What for?"

"You've got extra, and I, on the contrary, don't have any. Got it?"

"Wow, that's great! Here, take it!"

He gave me the bag. By then the policeman stopped looking at my passport.

"Well, mister, what are we going to do now?"

"To check in my baggage." I said cheerfully. "And give me my passport back, or I will complaint!"

While the policeman was blinking silly, I put the bag on the scales.

"Haven't I seen this bag before?.." The girl who was checking in the baggage said slowly.

Then the boarding was announced, and I ran to the airplane. At last, take off.

"Miss, how long is the flight to Novorossiysk?"

"Two hours."

"How long!"

In my head there was a terrible picture: Vera, bandits, money... Suddenly, I hear the landing announcement. Strange, two hours flew as 15 minutes! But what is it? Airport looks familiar, and it's as big as in Moscow!

"Young man, didn't you hear? There is a storm in Novorossiysk, and we are back to Moscow, only in a different airport. The flight is delayed until tomorrow due to bad weather in Novorossiysk."

I don't remember how I got home. I remember that I was looking for the key for a long time, and I heard the phone ring and ring. Finally, I found the key. I opened the door and rushed to the phone.

"Hello, Vadim, is that you? Where have you been? I called and called."

"Vera, where are you? Are you alive? Are you all right? Where are the bandits?"

"What bandits? Aaahh, the children. Their Mama is back..."

"What Mama? Vera. Are you alive?

"Vadim, what a question! What's wrong with you? Are you all right?"
I didn't understand anything.
"Vera, you were kidnaped by bandits; they wanted a million..."
"Vadim, go to bed, and don't work any more today. I will call you tomorrow."
She hung up the phone.

I was perplexed watching the phone. Then I looked at the wall near the phone, then at the calendar on the wall... I was looking but didn't see anything. When I started seeing... I began to laugh. I laughed for a long time; I laughed until I cried. I was a fool. What a fool! An idiot! And I laughed again and again...
The calendar read: April 1.

Приключение на поезде - Aventure On A Train

(from page 142, translated by Hanna Ewing, 12th grade)

It was late. I was in a hurry to get to the station. I was going to St. Petersburg. There Vera was vacationing with her mother. The ticket for the "Red Arrow" express train from Moscow rested in my pocket. The departure was at 10 p.m. Like always, I was late. Do I have everything ready? The ticket is here, the money too, the documents... Go!

The taxi flew down the street past houses, trees, cars, and bridges. Finally, there was the station! Bright lights sparkled in the darkness. I heard the noise of the train, and then the voice announced: "The express train 'Red Arrow' departs in five minutes from platform number 2." I made it! Hooray!

A young woman conductor stood in the door and smiled sweetly.
"Hurry, young man, hurry! It's departing."
"I'm hurrying, I'm hurrying! Here's my ticket."
"What car? Number 15? It's not here, it's at the other end of the train. Run down there. Only don't get on the car 15A, it's..."

What she said, I didn't hear. I ran. I ran to the last car. Five, six, three more... Oh, what a heavy suitcase! Thirteen, fourteen... Aha, here was fifteen! And here I was, in my car. Thank God!

The train left. I fell on my bed. There was no one else in the compartment. Probably the other passengers would get on in the night. How tired I was! Some marathon it was!

I slept soundly. One time I woke when my neighbor came in the compartment. I didn't see him, but I heard his mumbling, and also, the train was waiting a long time. It was strange.

In the morning, when I woke up, I looked out the window. I saw woods, trees, and flowers. From time to time, I saw a few houses, gardens, and small rivers. It was as if we weren't going to a big city but to a remote Russian village. I yawned for the next five minutes and then went to wash and shave. When I came back to the compartment, I saw an old man sitting at the table and drinking tea.

"Hey, buddy, you're awake? Want some tea? Hey, miss, bring us more tea!"
The man was quite a babbler. In five minutes, I learned that he was going

home, he loved to drink, his wife was a witch, and his mother-in-law was a shrew. He also had two sons, one was a lazy bumb and the other was a hard worker, and so on.

"Listen, buddy," he continued saying. "Let's get off the train, and head straight to my house to visit! My mother-in-law will be so "happy"! Is your village far?"

"What village?"

"The village where you live."

"Actually, I live in the city."

"Aha, a city dweller! Well, then what village you are going to?"

"I'm not going to a village. I'm going to a city."

"A city? I've lived here a long time, and I haven't heard anything about a city. What city?"

I looked at the man: is the guy normal or crazy?

"Do you know the city of St. Petersburg?"

"You mean "Peters"? Of course, I know, who doesn't? What about it?"

"I'm going there."

The man laughed.

"What's so funny?"

"You joker! What a joker! Ha-ha-ha! What else are you going to make up?"

"I didn't make anything up. I'm going to St.Petersburg!"

He laughed again, and he kept laughing for a long time, he laughed to the verge of tears.

"Well, buddy, I've never heard of someone going from Moscow to Peters via Siberia!"

"What? What do you mean Siberia?"

He stopped laughing, and I suddenly got all hot. I felt dizzy: the houses, the trees, the old man, the tea - all was floating around...

"Where are we going?"

"I don't know where you are going, buddy, but I'm going home, to the village Dubrovka. Petersburg is in entirely different direction."

Then I remembered. I remembered the taxi ride, the station, the platform, car number 15, and the young woman's words: "...don't board car 15a, it's..."

"What car is it?"

"As far as I know, it's 15a."

It couldn't be!!!

"Listen, father, do you know when the next train to Petersburg will be?"

"Oh, buddy, it's too long to wait, at least three days. But that's okay, don't you cry, we will go to my village, and you will stay at my place. At last, there will be a human being in the house! Then maybe you'll go to Peters."

... Dubrovka station. My new friend cheerfully walks along the platform and talks, talks, talks. I am following him. Where am I going? To his mother-in-law for pancakes? Back in St.Petersburg Vera is waiting for me, and so is my mother-in-law... Oh, God, was I going to get my pancakes!

Белый теплоход - *The White Cruise Ship*

(from page 151, translated by Kris Klint, 12ᵗʰ grade)

It was a warm evening. We were standing on the dock waiting to board a beautiful, enormous ship. The ship was a Black Sea Cruise. All my life I have dreamed of this moment. In just a few minutes I will be a passenger. Vera stood by my side, counting the baggage: one suitcase, two suitcases, three - the bag, four - the box... Here we are, on the ship. What a beauty! We quickly found our cabin, it was on the second deck. I was humming to myself: "A white steamer, a green wave..."

Early morning I woke up and went for a walk around the ship. Masts, life boats, and seamen running up and down the stairs - everyone was still asleep but they were all working. Around there was the sea, waves, and seagulls... It's so great that I decided to buy tickets for the cruise! Soon we will be in Turkey, Bulgaria, and Romania. We will see the whole world!

In a day, the ship approached Turkey. Over the radio came the announcement: "Passengers may now get on shore. The ship will be leaving at four o'clock. We request that you not be late."

We walked around the city. Vera was surprised the whole time: people were speaking an odd language that we could not understand. When she attempted to ask one woman where the jewelry store was, the woman gave her a strange look but didn't say anything. Later we ate lunch at a restaurant and took a walk in the park. We still had two more hours.

"Vadim," said Vera. "I really want to look at some shops, and, perhaps, to buy something."

That wasn't fun at all. I hate shopping!

"Verochka, I don't think I want to... It's too hot. I tell you what: you go shop, and I will stroll a little more. We will meet in an hour, at three o'clock here, and we will go to the boat from here. Only please, don't get lost!"

So it was decided. Vera disappeared into the glare of shop windows, and I thought about where I would I go. There was a guy sitting near by, and all around him were people. He was playing some game, and they were giving him money. He was probably a swindler, so I decided to go a little further. Then I saw a man playing a pipe. I stopped and listened for a while, and then went on. Then I came upon a market. There was everything there: noise, crowds of people, songs, music, shouting, and dancing. This was probably interesting. I walked around the market for half an hour and learned about the culture of a foreign country. It was time to head back. Then I suddenly felt very thirsty. I was dying of thirst. I wish I could have a mug of kvas! But all around were people selling nothing but strange white-yellow milk. I hate milk so much!

"Where is kvas?" I asked the man selling the milk.

"Gaz du Barmakh?" I heard in reply. He didn't understand me!

"Do you speak English? Do you speak German? Do you speak French?" I said, demonstrating my skills with foreign languages, though those were the only

phrases I knew. The man mumbled and mumbled: "Gaz du Barmakh?"

Then I gestured him that I wanted to drink.

"Gulp, gulp..."

"Ah!" he appeared to understand and waved by hand - just go that way! I went there. I walked for five minutes. Then I saw a fountain. Thank you, old man.

There wasn't much time. I looked at my watch. In ten minutes Vera would be waiting for me at the park. I needed to get back. But where? Then I realized I didn't know where to go. I was getting hotter. I went one way... no, not that way. I went the other way... also not the way I came. It was three o'clock. What to do? Who could I ask for directions? Nobody here understood Russian! I tried to draw: I drew a park, they thought it was a forest; I drew a bench, they thought it was a stadium. I was running through the streets like a madman. At three thirty I stopped to rest, and when I raised my head, I saw myself sitting in the park, where Vera was supposed to wait for me! But where was Vera? She must be on the ship! And I ran. I ran like a world champion: ten minutes, fifteen minutes, twenty... Hooray! There was the ship, right before my eyes! But what was it? The ship was getting smaller and smaller. It couldn't be! Wait! Help!

There I was on the dock. I watched my beautiful ship sail slowly away... without me. This was horrible! What would I do now? Vera was there, and I was here. I sat on the dock and didn't know what to do. I heard a loud cry. Some woman in a big white hat literally sobbed on the dock, and another woman was comforting her, mumbling something in Turkish. Probably seeing off her friend and crying, I thought. I wish I had that kind of a problem! The woman in the hat turned and...

"Vera?"

"Vadim!"

Yes, it was she, my wife!

"You see, I wanted to see what was in stores: first jewelry, then the crystal, then this hat... Soon I forgot about the time, and when I remembered, it was four o'clock. And I thought that you were back on the ship. What do we do now?"

I thought.

"Nothing. Let's go to the airport."

We returned home by plane.

Дары Волхов по-русски

Gifts of the Magi in Russian Style

(from page 159, translated by Stacy Hendricksen, 11ᵗʰ grade)

We were preparing for Christmas. It was Friday, and Christmas was on Saturday. On this holiday, we always give presents to one another. For me this is always a big problem, because I hate stores. Now I was thinking hard: what to buy, what to give? Finally, I decided that I was getting nothing done on the couch, so I went to GUM.

GUM is a madhouse! There are thousands of people there, a loud noise, stairs, counters and shopping displays. Here is "Women's Clothing" department: dresses, blouses and pantyhose. I saw a pretty dress. Here it is, a solution to my problem!

"Miss," I asked the saleslady, "Please, show me that dress."

"What size?"

"Size? I don't know..."

She grinned:

"Of course, the husband doesn't know the wife's size. It's normal"

She tossed me the dress. The dress was all right, but would Vera like it? Besides, I didn't know her size. Same happened later. In "Footwear" they showed me shoes, but I didn't know Vera's size or color. In "Leather" section they showed me a purse, but I didn't know the style and shape. I didn't even go to "Lingerie". There was simply nothing for me to do there. I tried "Jewelry". What if I bought her a gold surprise! For example, a watch! Vera would be so happy: a watch, and a gold one!

In the showcase there was only one gold watch left.

"Miss, could I have a look at this little gold watch?"

"Here you are."

How beautiful it was! Thin and carved, with a bracelet.

"I'll buy it!"

"Good, pay at the cash register. It's over there."

She handed me the price tag. I didn't even look at the price and ran to the cash register.

"One hundred and twenty two dollars," said the cashier. "Give me the money."

I opened my wallet. There were one hundred and fifty rubles in it.

"What's with you, young man? Don't you hear? I said 'one hundred and twenty two d-o-l-l-a-r-s'. Do you have the currency?"

"Currency? What currency?"

"We only accept hard currency for jewelry purchases."

I went outside and took out my cigarettes and matches. I smoked. I didn't smoke before. That is, only when I was fishing. But lately... Vera didn't really like it when I smoked. What am I going to do for a gift? I am not going to GUM anymore. It's a mad house! I looked at the smoke from the cigarette... Suddenly... An idea! It's so simple! I calmly went home.

Saturday. Christmas. Festive table. I began my speech.

"Vera, I've been thinking for a while about what to get you for Christmas. I even went to GUM!"

Vera smiled.

"But I didn't buy anything. It was so hard! Then I decided... My gift to you would be... I quit smoking! I won't smoke anytime or anywhere, even when I'm fishing. Promise!"

I solemnly kissed my wife. There was a silent pause.

"Thank you, Vadim," said Vera, "it's a wonderful gift. But... but I just don't *know what to do now."*

"What do you mean 'I don't know what to do now'?"

She gave me a little box. There lay a nice, small, pearly cigarette lighter.

We laughed for a while. Then I kissed Vera again.

Этот весёлый Новый Год

The Wonderful Happy New Year

(from page 169, translated by Michael Dixon, 12th grade)

Who doesn't love the New Year! It's my favorite holiday, too: the New Year tree, garlands, lights, champagne, Grandfather Frost and the Snow Girl...

Once I decided to prepare a surprise for my wife and to invite her out to a restaurant for the New Year. But I wanted to do this in unusual way. I bought a nice card and wrote: "Dear Vera, this New Year's Eve marvelous surprises await you at the "Golden Key" restaurant. I invite you to celebrate this holiday with me. Your Grandfather Frost."

Of course, Vera will guess that I'm the Grandfather Frost, and she will come for sure! And I will play a joke: I will buy a Grandfather Frost's costume and we will see if she can recognize me.

It's December 31st. At 9 o'clock I was already at the restaurant. I looked at myself in the mirror: no, it was simply impossible to recognize me. A long white beard, red nose - a typical fairy tale old man! I quickly found our table. Of course, Vera wasn't there yet, but the waiter was already waiting.

"Here's the menu, sir."

"Thanks. Only, please, give me a few more minutes. My guest hasn't come yet. I'll study the menu for a while.

What an assortment! Snacks, cold dishes, hot dishes, dessert, wines, and even fruit - in the winter! There'll be a feast all over the world. What would Vera like? Seems to me it's meat and potato salad, mushrooms, oranges... Well, but where is she? I looked at the watch. She is late! Music began to play on the stage. Rabbits, Snowflakes, Don-Quixotes, and even Gena-the-Crocodile, were dancing around. There were also other Grandfathers Frost and, of course, Snow Girls. One of them suddenly appeared on the stage. My God, she was so beautiful, as in a fairy tale: big blue eyes, long golden tress, red cheeks, and shapely figure. My mouth dropped. She danced on the stage, and the Snow Flake girls were flying around her. Then she disappeared. I closed my mouth. It was 10 o'clock and I really wanted to eat.

"Waiter, bring me, please..."

And I ordered everything that I liked and, in my opinion, Vera would like. I was very angry with Vera. The New Year is so close, and she wasn't there! And, on top of that, this Snow Girl, so beautiful! She appeared again. What a beauty! I have to find out her name! The next minute I was already on the stage.

"Allow me to dance with you, splendid Snow Girl!"

She looked at me and smiled.

"With pleasure, Grandfather Frost!"

She danced beautifully. I felt like a bear next to her. The last time I danced was ten years ago, at my wedding, it seemed. When the dance finished, I again looked at the time. It was late. Vera hadn't come. But I hadn't even been thinking about Vera any more.

"Will you allow me to invite you to my table?"

She agreed!

"Why are you alone? Where is your Snow Girl?" she asked

"My Snow Girl abandoned me," I said jokingly.

"Why, how awful!"

"Why? I am very glad... that is to say, I wanted to say, I'm very glad to be acquainted with you. Would you like to eat? Here are some mushrooms and a salad dish.

"Thank you, but I can't stand potato salad, and I'm allergic to mushrooms.

"Then what would you like?"

"I like black caviar, salami, steak and vegetables for the main course...

Black caviar, salami, vegetables... She probably thinks I'm a millionaire! But it was too late. About an hour later, I was already full, tipsy, and it seemed to me, in love. We were eating, drinking; champaign was flowing like a river. It was an excellent evening. I forgot about Vera, and didn't think about what would be tomorrow. There were only fifteen minutes left to the New Year. My friend was happy, and so was I.

"You know that for the New Year you need to make a wish?" the Snow Girl asked suddenly. And it will for sure come true. The New Year is only five minutes away. Let's make a wish!

"Let's, but how?"

"You must close your eyes and count to ten."

I closed my eyes. One, two, three... ten.

"Can I open them now?"

"Yes, dear. Well, what did you wish for?"

I heard a familiar voice, and opened my eyes. And then my mouth. For the spectacular Snow maiden had disappeared, and in her place was... my wife!

"I, I... I don't... Vera? How is this? And where..."

Then came the waiter.

"Here's your bill. If you wish, pay now. If not, next year."

He smiled slyly and disappeared.

I looked at the bill and my heart dropped. More than that, I couldn't remember anything. I heard only the striking of the clock: one, two, three... As if in a dream, I saw Vera, she smiled, and she filled the glasses with champagne. Four, five, six... It seemed, I saw the tree, the fire, and the fireworks. Seven, eight... The table, the rest of the caviar, the potato salad, and the oranges. Nine, ten... Then, suddenly, I saw on the floor near the table a gold wig and mask - red cheeks. Eleven, twelve... And Vera's voice: "Happy New Year, darling!"

81

Рецепты из русской кухни - Recipes from the Russian kitchen

Картофельные Крокеты

Картофель	- 700 г
Яйца	- 3
Сливочное масло	- 25 г
Лук	- 1 головка
Мука	- 75 г
Соль	
Панировочные сухари	
Растительное масло	
Тёртый мускатный орех	

Картофель почистить, сварить, остудить и измельчить (как пюре). Лук порезать мелко, жарить в масле. Добавить в картошку жареный лук, растопленное сливочное масло, мускатный орех, яичные желтки, муку и соль и всё перемешать. Раскатать шарики, обвалять их в панировочных сухарях, потом в сбитых белках и снова в сухарях. Жарить в большом количестве масла.

Заварное пирожное "Эклер"

Сливочное масло - 125 г
1 стакан муки - 200-250г
Яйцо - 4
Соль

Стакан воды закипятить. В кипяченой воде растворить масло, добавить 1 стакан муки , 4 яйца, соль и хорошо мешать. Ложкой положить тесто на противень шариками небольшого размера. Выпекать в духовке при температуре 300-350 в течение 15-20 минут. Во внутрь положить крем. Для крема - хорошо перемешать сладкое сгущенное молоко со сливочным маслом (по вкусу).

Рогалики

Сметана	- 1 стакан (200г)
Несоленое масло	- 2 пачки
Мука	- 2-3 стакана
Яйцо	- 2
Уксус	- 1 столовая ложка
Сахар	- 0,5 стакана

Сметану, масло, муку, уксус и 2 желтка смешать, чтобы получить густое тесто. Если тесто слишком густое - добавить чуть-чуть воды или молока. Тесто раскатать и помазать сверху белковым кремом. Потом разрезать

тесто на квадратики и каждый квадратик свернуть в трубочку. Выпекать в духовке 30-40 минут при температуре 300-350.
Белковый крем: взбить белки, чтобы получить густую белую пену. Продолжая взбивать, медленно добавить сахар.

Хворост

Яйца - 5
Мука
Сахарная пудра

Замесить и хорошо перемешать тесто из яиц и муки. Раскатать тесто тонко и порезать на полоски. В середине каждой полоски сделать небольшой надрез вдоль. Вывернуть половину каждой полоски наизнанку через разрез. Жарить в большом количестве растительного масла.
Сверху посыпать сахарной пудрой.

Торт "Фантазия"

На один слой (корж):

Яйцо - 3
Сахар - 1 стакан
Мука - 1, 5 стакана
Сметана - 6 столовых ложек
Сода - 0,5 чайной ложки (смешать с 0,5 ложки уксуса)

Всё перемешать. Разделить тесто на 3 части.
Добавить: в одну часть - мак, в другую часть - орехи, в третью часть - изюм. Выпекать в духовке в 3 разных ёмкостях в течение 30-45 мин при температуре 300-350. Остудить. Помазать кремом или подавать без крема как кекс.

Печенье "Хризантемы"

Яйца - 4
Сахар - 1 стакан
Сливочное несоленое масло - 250 г
Сметана - 1 стакан
Мука

Перемешать, сделать очень густое тесто. Тесто пропустить через мясорубку. Положить шарами на противень. Выпекать при температуре 300-350 в течение 30-40 мин.

Пирожки

Тесто для пирожков приготовить традиционным способом или купить в магазине. (Тесто для пирожков можно купить готовым в магазине) Разрезать на кусочки, раскатать, положить начинку, залепить края. Выпекать в духовке в течение 30-40 мин. при температуре 300-350. Одно яйцо взболтать. Пирожки сверху помазать яйцом.

Пирожки можно также жарить на сковороде в большом количестве масла.

Начинка: *(выберите одно)*

1. Прожарить грибы с луком.
2. Сварить яйца вкрутую, порезать и перемешать с зелёным луком.
3. Порезать и потушить на сковороде капусту.
4. Пожарить мясной фарш с луком. Можно добавить вареные вкрутую яйца (2), или капусту (3), или вареный рис.
5. Картофельное пюре.

Блины
(муку для блинов можно купить готовую в магазине)

Муку для блинов развести жидко с водой. Жарить на сковороде с двух сторон, чтобы получились тонкие блины размером с тарелку. Положить начинку - жареный фарш с луком и завернуть конвертом.

Борщ

Косточка мозговая	- 0.5 кг
Мясо говядина	- 0.5 кг
Картофель	- 5 картофелин
Капуста	- половину небольшого вилка
Свёкла	- одна
Луковица	- одна
Зелень (лук, петрушка, укроп)	
Соль, специи	
Томатный соус	- маленькая баночка
Сметана	- по вкусу

Сварить бульон на косточке в большой кастрюле (2.5-3 литра воды), добавить говядину, порезанную маленькими кусочками, бросить целую луковицу - варить 30-40 минут. Почистить и порезать небольшими кусочками картошку, морковку и свеклу (свеклу можно натереть на тёрке). Покрошить капусту. Бросить все в бульон, посолить и варить 15 минут. Вылить банку томатного соуса. Добавить томатный соус, зелень и специи, закипятить и выключить. Дать настояться. Разваренную луковицу вытащить.
На тарелку супа добавить ложку сметаны.

Приятного аппетита!

Answer keys to exercises
(the textbook "I Want To Speak Russian!)

Page 7, #1

Что это? Это кот? Нет, это не кот. Это собака. Это собака? Да, это собака. Где кот? Кот там. Где собака? Собака там. Это газета или журнал? Это газета. Журнал там. Это парк или порт? Это парк, а это порт. Кто это? Это студент. Студент тут. Как по-русски "uncle"? "Uncle" по русски "дядя".

Page 10, #4

a) Привет. Меня зовут Саша. Как тебя (вас) зовут? Меня зовут Лена. Как дела? Хорошо, спасибо.

b) Кто это? Это Лена? Нет, это не Лена. Это Вера. Извините. Где Лена? Лена не тут, она дома. Спасибо. До свидания.

c) Что это? Это газета? Нет, это не газета. Это журнал. Где газета? Она там. Спасибо. Пожалуйста.

d) У тебя (вас) есть машина? Да, у меня есть машина. Где машина? Она тут.

Page 12, #3

a) У тебя (вас) есть ручка? Нет, у меня есть карандаш.

b) Что это? Это тетрадь? Нет, это не тетрадь, это бумага. Где тетрадь? Тетрадь там.

c) У тебя (вас) есть книга? Да, у меня есть книга тут.

d) Это класс. Вот доска. Вот парта. Там стол. Где телевизор? Телевизор тут.

e) Это урок. Вот студент. Где учитель? Учитель тут.

f) Вот клей, ножницы и бумага. А где линейка? Линейка там.

Page 12, #4

a) ножницы - *not paper;* б) портфель - *not connected with writing;* в) линейка - *not furniture;* г) флаг - *not equipment;* д) картина - *not for projects.*

Page 14, #2

Это дома. Это машины. У меня есть собаки. У меня есть коты. Где линейки? Книги там. Ученики в школе. Учителя в классе. Там линейки. Тут карандаши. Это книги или тетради? Это книги. А там тетради. Это друзья. Братья и сёстры на работе.Сыновья и дочери дома. Это фото. Где моря? Моря там. У меня есть флаги. Мальчики и девочки в классе. Что это? Это телевизоры тут, а там компьютеры. Тут столы, а там стулья. Это доски и глобусы. Где картины? Картины тоже в классе. У меня есть ручки и карандаши.

Page 18, #3

a)твоя, не моя, её; б) твоя, не моя, его; в) твой, не мой, его; г) твой, не мой, её; д) его, не его, их; е) его, не его, их; ж) твои (ваши), не мои (не наши), твои (ваши); з) твои (ваши), не мои (не наши), твои (ваши).

Page 18, #4
его, её, наши, наш, (твои) ваши, моя, мой, моё, твоя, её, наш, наш, мои, его, её, их, мои.

Page 18, #5
Чей это брат? Чьи это дети? Чей это друг? Чей это учитель? Чьи это студенты? Чья это книга? Чьё это письмо? Чей это карандаш? Чьи это ножницы? Чья это бумага? Чьё это письмо? Чьи это тетради? Чей это портфель?

Page 18, #6
а) её муж; б) его мама; в) его папа; г) её сын; д) его сын.

Page 21, #2
живот, нога, рука, голова, волосы, нос, тело, глаза, шея, брови.

Page 21, #3
живот - *not part of a face*, брови - *part of a face*, нос - *not in the plural*, глаза - *not in the singular*, шея - *not in the plural*, палец - *not feminine*.

Page 27, #2
транспорт: дорога, лодка, метро, троллейбус, улица, автобус, светофор, мотоцикл; **интересные места**: почта, театр, ресторан, музей, базар, зоопарк, церковь, кино, парк, магазин; **природа**: река, снег, вулкан, гора, солнце, небо, луна, озеро, трава, цветок, дождь, радуга.

Page 27, #3 & #4
машина (она) - машины, автобус (он) - автобусы, трамвай (он) - трамваи, троллейбус (он) - троллейбусы, метро (оно), грузовик (он) - грузовики, мотоцикл (он) - мотоциклы, велосипед (он) - велосипеды, такси (оно), дорога (она) - дороги, светофор (он) - светофоры, корабль (он) - корабли, лодка (она) - лодки, самолёт (он) - самолёты, поезд (он) - поезда; улица (она) - улицы, парк (он) - парки, зоопарк (он) - зоопарки, порт (он) - порты, стадион (он) - стадионы, школа (она) - школы, почта (она) - почты, аптека (она) - аптеки, магазин (он) - магазины, базар (он) - базары, музей (он) - музеи, театр (он) - театры, кинотеатр (он) - кинотеатры, библиотека (она) - библиотеки, цирк (он) - цирки, церковь (она) - церкви, банк (он) - банки, ресторан (он) - рестораны, кафе (оно), здание (оно) - здания; море (оно) - моря, озеро (оно) - озёра, река (она) - реки, дождь (он) - дожди, снег (он) - снега, ветер (он) - ветра, радуга (она) - радуги, дерево (оно) - деревья, цветок (он) - цветы, скала (она) - скалы, гора (она) - горы, вулкан (он) - вулканы, солнце (оно), небо (оно), туча (она) - тучи, луна (она).

Page 29, #3
The corrected sentences are: Я вижу друга, Я вижу сына, Я вижу дорогу, я вижу автобус, Я вижу библиотеку, Я вижу банк, Я вижу магазин.

Page 29, #5

a) Что это? Это школа? - Нет, это библиотека. - Где школа? - Она там. Спасибо, я вижу школу там. - Пожалуйста, до свидания.
b) Я вижу автобус там. - Это не автобус, это трамвай.
c) У тебя (вас) есть лодка? - Да, у меня есть лодка, она там. - Да, я вижу лодку там.
d) Какая сегодня погода? - Погода сегодня плохая, я вижу снег и тучи. Холодно.

Page 30, Who says what?

Собака (dog): гав-гав; кот (cat): мяу-мяу; лягушка (frog): ква-ква; корова (cow): му-у-у; утка (duck): кря-кря; петух (ruster): ку-ка-ре-ку; баран (ram): ме-е-е; свинья (pig): хрю-хрю; лошадь (horse): иго-го; гусь (goose): га-га-га.

Page 32, #2

зелёная трава, белый снег, синие глаза, оранжевый апельсин, голубое небо, белая роза, жёлтый лимон, жёлтое солнце.

Page 33, #7

жёлтый лимон, синее море, красный томат, чёрная ночь, зелёная трава, коричневая собака, серый кот, розовая роза, оранжевый апельсин, белый снег.

Page 40, #4

Я слушаю музыку. Я пишу письмо. Я читаю книгу. Я читаю газету. Я читаю блокнот. Я читаю документ. Я слушаю музыку. Я читаю паспорт. Я пишу адрес. Я слушаю магнитофон. Я читаю учебник. Я слушаю учителя. Я слушаю оперу. Я слушаю кассету. Я читаю журнал. Я слушаю радио.

Page 41, #1

Неправильно: а) Вадим сейчас дома. в) Вера тоже дома. д) Алёша гуляет на улице. е) Он играет в футбол.

Page 42, # 2

Вера читает журнал. Она понимает по-английски. Она изучет английский. Она пишет по-английски. Она читает по-английски. Она говорит по-английски. Она хорошо знает английский. Вадим знает английский чуть-чуть. Он не изучает английский.

Page 43, #4

Вы говорите по-русски? (Or: Ты говоришь по-русски?). Вы понимаете по-русски? Вы пишете по-русски? Вы читаете по-русски? Ваш друг говорит по-русски? Вы знаете русский? Вы знаете английский? Вы говорите, читаете и пишете по-английски? Ваш друг понимет по-русски? Ваш друг читает по-русски? Ваш друг пишет по-русски? Ваш друг знает русский? Ваш друг знает английский? Ваш друг читает, говорит и пишет по-английски?

Page 45, #2
Неправильно: в) Вера не любит телевизор; д) Вера не любит мыть посуду; е) Вадим тоже не любит мыть посуду; з) Вера любит театр; к) Алёша не любит делать уроки; л) Он любит мороженое и конфеты.

Page 45, #6
Я люблю писать письма. Я хочу писать письмо сейчас.
Мой брат любит играть в баскетбол. Он хочет играть в баскетбол.
Моя подруга любит играть на пианино. Она хочет играть на пианино.
Мои дядя и тётя хотят (любят) изучать русский. Они хотят знать русский.
Вы любите спорт? Вы хотите играть в хоккей сейчас?
Ты любишь слушать музыку? Ты хочешь слушать музыку сейчас?
Мы любим читать книги. Мы хотим читать книгу сейчас.

Page 45, #7
Я не люблю играть на гитаре, я люблю играть на пианино. Моя мама любит слушать оперу. Они хотят изучать русский. Я хочу изучать русский тоже. Твой друг любит читать? Что он любит читать? Мой друг любит читать журналы, а я люблю читать книги. Я хочу работать тут. Ты хочешь играть?

Page 48, #3
в банке, в классе, дома, в лесу, в порту, в Москве, в колледже, в школе, в библиотеке, в парке, на стадионе, в музее, дома.

Page 48, #4
работаю, работаешь, работает, работают, работают, работаете, работаю, работает, работаешь, не работаю, учусь, учится, учатся, живёшь, живу, живёте, живём.

Page 50, #1
Неправильно: а) ему 7 лет; в) его мама работает в ресторане;
г) его папа - строитель; д) у него есть собака Булька; е) его папа любит спорт, а мама кино и музыку; ж) его зовут Андрей; и) Алёша любит читать книги и играть в футбол.

Page 52, #3
Я иду в класс. Я иду в ресторан. Я иду в кафе. Я иду в кинотеатр. Я иду в музей. Я иду в библиотеку. Я иду в цирк. Я иду в зоопарк. Я иду в порт. Я иду в лес. Я иду в университет.

Page 52, #4
Я иду в библиотеку. Я еду в театр. Я работаю в магазине. Я иду в порт. Я гуляю в порту. Я люблю гулять в лесу. Я иду в лес. Я еду в кино. Я работаю в музее. Я иду в магазин.

Page 53, #5
в магазине, на работу, в ресторан, в ресторане, дома, домой, в школе, в

университете, в Москве, в Новгороде, в Иваново, в лес, в лесу, в саду, в сад, на улице, на улицу, дома, на стройке, на оперу.

Page 55, #4
Утром я завтракаю. Я иду в школу в 8 часов. Я обедаю в 12 часов. Днём я смотрю телевизор. Ночью я сплю. Я играю в футбол в парке вечером в 5 часов. Вечером в 5 часов я ужинаю. Я иду спать ночью. Вечером я делаю уроки.

Page 56, #5
встаём, завтракаем, идут, иду, учусь, иду, идут, отдыхаем, смотрю, читает, слушает, иду, идут.

Page 61, # 4
Новая машина, старый портфель, интересная книга, интересный фильм, светлая комната, хороший студент, хороший друг, плохая погода, плохая дорога, старый мужчина, красивый день, интересный урок, новый класс, хорошая собака, новая школа, старый парк, светлая гостиная комната, большой стул, большая девочка, маленький город, старые шорты, большое море, маленькое озеро, красивый снег, новый компьютер, плохой день, интересная газета, красивые цветы, старые журналы, большая карта, интересное письмо, хорошие люди.

Page 63, #5
Сегодня Вадим идёт домой рано. Он идёт быстро. Сейчас поздно, и Вера дома. Вадим рад, у них есть новая квартира. Вера тоже рада. Вадим не любит мыть посуду. У них в доме есть холодная и горячая вода. Вера знает, что Вадим не любит мыть посуду. У меня есть хорошая новость. Это замечательно, что у нас есть новая квартира! Мы идём медленно.

Page 64, #10
Неправильно: а) сегодня Вадим идёт домой рано; д) это большая квартира, там три комнаты; е) кухня большая и светлая; з) Вадим не любит мыть посуду; к) у них есть электричество; м) это пятый этаж.

Page 65, #13
камин

Page 67, #3
Я играл в футбол. Вера читала книгу. Алёша гулял в парке. Вадим смотрел телевизор. Антон и Андрей слушали музыку. Что вы делали, дети? - Мы смотрели новый фильм. Они ехали в Москву.

Page 67, # 5
работала, обедал дома, была плохая, были в Киеве, был там, читали, смотрели, был.

Page 68, #6
Possible answers: ... читал неинтересную книгу; играл; была плохая; ехал на машине; учился в школе; играл на барабане; обедал в ресторане; работал в магазине; работал; изучал испанский; не понимал по-русски; не говорил по-русски; я их не знал.

Page 70, # 1
Я буду играть в футбол. Вера будет читать книгу. Алёша будет гулять в парке. Вадим будет смотреть телевизор. Антон и Андрей будут слушать музыку. Что вы будете делать, дети? - Мы будем смотреть новый фильм. Они поедут в Москву.

Page 70, #3
будет работать, будет обедать дома, будет плохая, будем в Киеве, пойду, будем читать, будем смотреть, буду играть.

Page 70, #4
Possible answers: ... буду читать интересную книгу; буду играть; будет плохая; поеду на машине; буду работать; буду играть на флейте; буду обедать в ресторане; буду работать в школе; буду учиться; буду изучать французский; буду знать французский.

Page 77, #2
Художник пишет картины. Композитор сочиняет музыку. Драматург пишет сценарии. Музыкант играет музыку. Чайковский - знаменитый композитор. Чехов - знаменитый драматург. Репин - знаменитый художник.

Page 77, #4
Театр: спектакль, сцена, премьера, актриса, драматург, сценарий.
Музыка: композитор, симфония, концертный зал, сочинять, музыкальный инструмент. Живопись: картина, акварель, пейзаж, масло.

Page 79, #7
Я готов идти в театр, Вадим готов читать газету. Вера готова изучать английский. Алёша готов писать письмо. Ты готов делать уроки? Вы готовы ехать в город? Они не готовы играть в хоккей. Мы готовы смотреть телевизор.

Page 80, #9
Неправильно: б) Вера купила два билета; в) Она очень любит искусство, а Вадим любит спорт; д) Там играют знаменитые артисты; ж) ... он берёт газету "Спорт".

Page 82, #2
школы, магазина, города, города, театра, окна, зеркала, дороги;
кот, кота, собака, собаки, дом, машины, сестры, брат, друга, подруга, нож, ножа; профессора, учителя, бабушки, спортсмена, музыканта, композитора,

художника, драматурга, актрисы.

Page 82, #3
у бабушки, у девочки, у актрисы, у художника, у музыканта.

Page 85, #2 (b)
кино начинается, кончается; новости начинаются; начинается (урок); урок начинается; передачи кончаются; спектакль начинается; концерт кончается; называется (фильм); передачи называются.

Page 85, # 3
Я не люблю смотреть телевизор. Что сегодня по телевизору? - Боевик по первому каналу. Новости - скучная программа, давай смотреть фантастику. Как называется этот фильм? - Я не знаю, но это очень интересный фильм. Выключи телевизор, я не хочу смотреть его (это). Где программа? - На столе. Я люблю смотреть драму и комедию, но не люблю ужасы.

Page 88, #3
Неправильно: а) ...Вера тоже дома; б) Вадим тоже любит смотреть телевизор; г) ... в 7 часов... д) ... но Вадим говорит, что это скучно; ж) ... покупать новый телевизор.

Page 89, "Guess!"
Лев Король - Алёша и Булька; Один дома - Вера и Алёша; Птицы - Вадим и Булька; Фигурное катание - Вадим; Полицейский из детского сада - Вадим и Вера; Сто один далматин - Алёша и Булька; Чемпионат по боксу - Вадим; Скорость - Вадим; Пятница тринадцатое - Вадим; Агент Ноль-Ноль-Семь - Вадим; Красавица и чудовище - Алёша; Олимпийские игры - Вадим; Близнецы - Вера; Алладин - Алёша; Лиса и Пёс - Алёша и Булька; Терминатор - Вадим; Отец невесты - Вера; Окно в Париж - Вера; Человек дождя - Вера; Трое мужчин и ребёнок - Вера.

Page 91, Russian TV Guide
Possible arrangement:
Информационная программа "Утро"
Мультфильмы для детей.
Пока все дома.
Утренняя звезда.
Кинофильм "Иван Васильевич меняет профессию".
Новости.
Смехопанорама.
Секрет Тропиканки - сериал.
Спокойной ночи, малыши.
Информационная программа "Время".
До и после полуночи.

Page 91, Match the TV Shows

Поле чудес - Wheel of Fortune; Сам себе режиссёр - Funny Home Videos; Добрый вечер, Москва - Late Show; Своя игра - Jeopardy; Тема - Talk Show.

Page 93, #2
брату, другу, дяде, бабушке, дедушке, сыну, Вере, Вадиму, Бульке, Алёше, сестре, доктору.

Page 93, #6
Мне нужно (надо) купить два билета в кино. Тебе нужно приготовить ужин. Нам нужно идти в магазин? Да, нам нужно купить хлеб. Кому нужно идти на работу? Вере нужно идти на работу. Кому нужно идти в школу? Их сыну нужно идти в школу. Кому нужно мыть посуду? Вадиму нужно мыть посуду. Им нужно играть в футбол. Мне нужно делать уроки. Тебе нужно смотреть эту передачу? Тебе нужно читать эту книгу?

Page 97, #1
прочитал, посмотрел, приготовила, послушал, приехал (поехал, уехал), погуляла, пришли (пошли, ушли), купили, написали, позавтракал, сделал, рассказала, не сделал.

Page 97, #2
делал, готовила, смотрел, играли, рассказывал, ехали, читал, писала, ехал, покупал.

Page 98, #3
написал, купили, пришёл, прочитал, приготовила, приехали, спросил, показал, написал.

Page 101, #6
Неправильно: а)...у них кончился хлеб; б)...купить хлеб; г) в магазине было много людей; е) может быть; ж) может быть; з) может быть; к) очередь была очень большая; м) Вадим не знал, что было в пакете; о)... и увидел чёрный перец; п) Вера не была рада, она удивилась; с) он сказал Вере, что хлеб - это вредно.

Page 107, #2
...в России; ...крупный город в России; ...театры и музеи; ...находится в Москве; ...Красная площадь; ...Кремль и Собор Василия Блаженного; ... правительство и парламент; ...живут в Москве; ...крупный и красивый город; ...концертный зал, театры и музеи.

Page 109, #3
Неправильно: а) Вера готовила ужин... б) он сказал, что он поедет в Санкт-Петербург; г) Вадим купил два билета на поезд; д) в пятницу вечером... ж) Вера не хочет смотреть футбол, она хочет посмотреть Русский музей и Летний сад; к) Вадим не хочет на Невский, он хочет на стадион; м) Вадим не знает, что Вера забыла дома билеты.

Page 113, #4

а) Я наклеиваю марку на письмо.

б) Я бросаю письмо в почтовый ящик.

в) Я пишу обратный адрес, когда отправляю телеграмму.

г) Я получаю телеграмму в отделе "Телеграммы".

д) Я получаю квитанцию, когда отправляю посылку.

е) Я заполняю бланк, когда отправляю телеграмму.

ж) Я иду на почту, когда хочу отправить деньги.

з) Я получаю письма до востребования на почте.

и) Я пишу адрес на письме.

Page 117, #7

а) даёт мне советы; б) страшно люблю; в) прекрасно знаешь; г) мне пришла идея; д) встречай; е) вычеркнул; ж) подожди! з) рейс; и) чистый бланк; к) здорово!

Page 118, #9

Неправильно: б) Славик страшно любил давать советы; в)...чтобы отправить жене посылку; г) жена уехала на юг отдыхать; д) Вадим тоже едет отдыхать; е)"Работу закончил сегодня тчк..." л) Вадим решил отправить телеграмму; м) Славик обиделся и ушёл; н) Вадим написал новый текст, когда Славик ушёл.

Page 119, #10

Possible answers:

а) телеграммы идут быстро, сегодня Вадим отправляет телеграмму, завтра Вера её получит: "Работу закончил <u>сегодня</u> тчк <u>завтра</u> вылетаю Москвы... встречай..."

б) "Есть только один рейс из Москвы в Краснодар, твоя жена <u>всегда может узнать его по телефону</u>."

в) Из Москвы в Краснодар есть только один рейс.

г) Славик говорит много раз: "Твоя жена знает..." Вадим говорит: "Моя жена знает, что это я еду на юг..."

д) Правильный текст телеграммы: "Работу закончил сегодня. Завтра вылетаю <u>из</u> Москвы, рейс 112. Встречай. Целую, Вадим." (*You pay for every word, including punctuation marks*).

е) "Я дал ему <u>синий бланк</u>"

Page 121, #2

а)междугородный разговор; б) международный разговор; в) снять трубку и набрать номер; г) снять трубку, положить монету и набрать номер; д) телефона автомата е) звонить в справочную; ж) длинный гудок; з) номер занят; и) номер не занят; к) заказать международный разговор.

Page 122, #3

а)...снимаю трубку и набираю номер 01 (02, 03); б)...звоню в справочную; в)...снимаю трубку, кладу монету и набираю номер; г)...снимаю трубку и *набираю номер 07.*

Page 122, #5
а)...это международный разговор; б) ... вы услышите короткие гудки; в) ...когда телефон занят; г) нужно набрать 02; д) ...09; е)... снять трубку и набрать номер; ж) без оператора; з)... вы услышите длинные гудки.

Page 125, #3
а) горит; б) везде; в) сошёл с ума; г) не кричи; д) очень жаль; е) я боюсь; ж) опять; з) Боже мой; и) всё в порядке; к) наконец-то.

Page 126, #6
Неправильно: б) Вера, жена Вадима... г)...он набирал 01; е) ...и позвонил в Скорую помощь; з) Вадим не помогал тушить пожар, он звонил по телефону; н) Вера повесила носки Вадима над печкой;
о) Это был не пожар, это дымили носки Вадима; р) Приехала пожарная бригада.

Page 127, #7
а) "Я сидел на диване и читал мой любимый "Спорт". Also, Вера тушила пожар, а Вадим звонил по телефону.
б) Вадим сказал Вере тушить пожар, она послушалась его и ушла.
в) Вадим очень долго звонил в пожарную: линия была занята.
г) "Жарко? Ну и что? У нас тоже жарко!"
д) "У нас тоже жарко. И нет воды!"
е) Вадим сказал по телефону его адрес: "Цветной Бульвар 5, квартира 201".
(It means there were not less then 201 apartments in that building).
ж) Пожарная команда приехала очень быстро.
з) У Вадима были мокрые носки.

Page 131, #2
а) купить билет; б) зарегистрировать багаж; в) доплатить за лишний вес; г) пристегнуть ремни и не курить; д) заполнить декларацию и показать паспорт; е) взять её с собой в самолёт.

Page 131, #3
а)... купить билеты на самолёт; в) чемодан - это багаж; д)... которые летают на самолёте (путешествуют); е) взлёт - вверх, посадка - вниз;
з)... и не курить.

Page 131, #4
а) иду в кассу; б) туда и обратно; в) иду регистрировать багаж; г) регистрирую багаж; д) иду на посадку; е) пристегнуть ремни и не курить; ж) паспорт и декларацию.

Page 132, #6
а) у стойки #2; б) к выходу #2; в) наш самолёт выполняет рейс.

Page 135, #2
а) знаменитый спортсмен; б) знаменитая актриса; в) знаменитый политик; г) знаменитый поэт (писатель); д) знаменитый режиссёр; е) знаменитый космонавт; ж) знаменитый учёный.

Page 136, #5
а) знаменитый; б) кошмар! ...спасать; в) старик; г) спасать; д) жаловаться; е) наоборот; ж) очень внимательно; з) задерживается; и) Эта сумка мне знакома; к) всё в порядке.

Page 137, #7
Неправильно: б) Вера была в Краснодаре; г) Вадим не был рад, он не знал что делать; з) У него не было багажа; и) Девушка не хотела регистрировать билет Вадима, потому что у него не было багажа и она позвонила в милицию; л) В Новороссийске плохая погода - гроза; о) Это была Вера; р) Вадим посмотрел на календарь, увидел "1 апреля" и стал хохотать.

Page 137, #8
Possible answers:
а) Как всегда, Вадим смотрел по телевизору футбол. "Я чувствовал себя свободным".
б) Вадим поверил мужчине, который звонил по телефону.
в) "Миллион... У меня нет таких денег! И никогда не было..."
г) "Бедная Вера! Нужно было её спасать." "Вера, ты где? Ты жива? Здорова?"
д) "Сегодня рейса (в Краснодар) нет, только завтра." "Если у вас нет багажа, значит что-то не в порядке."
е) "Мы опять в Москве, только аэропорт другой".
ж) "Аэропорт какой-то знакомый, и большой, как в Москве!"
з) Миллиционер долго изучал паспорт Вадима. "Вы же не на такси едете, а на самолёте летите. И если у вас нет багажа, значит что-то не в порядке.
и) *see the previous answer*
к) "В Новороссийске гроза, мы опять в Москве... Рейс задерживается до завтра из-за плохой погоды в Новороссийске."

Page 141, #2
а) покупаю билет на поезд; б) в железнодорожную кассу; в) на железнодорожный вокзал; г) проводник; д) смотрит билеты, приносит постель и готовит чай; е) ищу носильщика; ж) еду на электричке.

Page 141, #3
а) скорый поезд; б) пассажирский поезд; в) электричка; г) купе; д) полка; е) проводник; ж) носильщик; з) железнодорожный вокзал; и) платформа, путь; к) станция; л) прибытие (отправление); м) рельсы.

Page 145, #2
а) проводила отпуск; б) поздно; в) опаздывал и спешил; г) успел; д) мило;

е) очень тяжёлый; ж) крепко спал; з) странно; и) глухую; к) браток; л) был болтун; м) жена - вредина, тёща - зараза; н) трудяга, лоботряс; о) рад; п) сумасшедший; р) шутник; с) придумаешь; т) ну ничего.

Page 146, #5
Неправильно: а)...Вадим спешил на вокзал; в) В кармане у него лежал билет на поезд; г) Вадим, как всегда, опаздывал; д) Вадим приехал на вокзал в 21 час 55 минут; е) Девушка-проводник сказала ему идти в вагон 15, но не 15а; ж) Вадим долго бежал к вагону, его чемодан был тяжёлый; и) Ночью поезд где-то очень долго стоял; к) Утром Вадим увидел в окно дома, огороды, маленькие речки, как будто они ехали в глухую русскую деревню; н) Они ехали вместе, но Вадим не знал, что он ехал в Дубровку;
о) Вадим сел в вагон 15а, который ехал в Дубровку; т) Вадим не любит "блины" от тёщи.

Page 147, #6
Possible answers:
а) Когда Вадим приехал на вокзал, поезд отправлялся через 5 минут, в 22 часа. Самолёты почти всегда задерживаются.
б) "Ага, городские мы значит..."
в) В поезде было не меньше 15 вагонов.
г) "Через пять минут я уже знал, что... жена у него - вредина, а тёща - зараза."
д) "Куда я иду? К тёще на блины? А в Петербурге ждёт меня Вера. И моя тёща... Ох будут мне блины!

Page 149, #1
а) причал; б) моряки; в) капитанский мостик; г) палуба; д) каюта; е) салон; ж) салон; з) салон; и) круизное судно; к) спасательная шлюпка.

Page 150, #2
а)...приплывает; б)... отплывает; в) круизное судно - это... г) Пассажиры - это... д) Палуба - это... е) Капитанский мостик - это... ж) ...пассажирский корабль; з) каюта - это...

Page 154, #4
а) всегда мечтал; б) стояло круизное судно; в) ювелирный магазин; г) жулик; д) шли назад, заблудились; е) умираю от жажды; ж) умираю от голода; з) демонстрировал знание иностранных языков; и) рыдает;
к) успокойте её!

Page 155, #7
Неправильно: б) У них было два чемодана, одна сумка и одна коробка; в) Их каюта была на второй палубе; г) Они увидят <u>почти</u> весь мир... д)... потому что все вокруг говорили по-турецки; е) В Турции было очень жарко; ж) Турецкий базар - это очень интересно; з) Вадим не знал иностранные языки, он только знал три фразы; и) Вадим не знал как идти

обратно на корабль; к) Вера любит ходить по магазинам; м) Домой они возвращались на самолёте.

Page 156, #8
Possible answers:
а) Был тёплый вечер.
б) "Это было уже неинтересно. Я терпеть не могу эти магазины!"
в) Вадим не знал, как спросить куда идти, потому что он не изучал иностранные языки. Вера тоже не понимала по-турецки.
г) Вадим очень быстро бежал на пароход: "Я бежал, как чемпион мира".
д) Вадим не узнал Веру, когда она плакала на причале: "Какая-то женщина в большой белой шляпе буквально рыдала на причале..."
е) Пароход отчалил ровно в четыре часа, по расписанию.
ж) Вадим хотел пить, и он спросил: "Где тут квас?"
з) "Спросить кого-нибудь? Но они ничего не понимают по-русски!"
и) "Я так хотела посмотреть на эти магазины... Я совсем забыла про время..."
к) "Домой мы возвращались на самолёте".

Page 159, #6
а) костюм мне велик; в) рубашка мне мала; с) платье мне не идёт; d) шляпа мне идёт; е) Я хочу примерить костюм; f) мне нужен другой размер.

Page 162, #3
а)...сестра и я дарим друг другу подарки; б) терпеть не могу; в)долго ломала голову; г) шум и гам; д) симпатичная; е) хмыкнул; ж) валюты;
з) Я бросаю курить; и) Это же так просто! к) обещаю.

Page 163, #6
Неправильно: а) Они готовились к Рождеству; б) Была пятница, а Рождество в субботу; г) Он знал, что не решит эту проблему дома на диване. д) Гум - это сумасшедшее место, там шум и гам;
ж) Это ненормально, когда муж не знает размер жены; з)...но он не знал размер и цвет; и)...но он не знал фасон и модель; м) Он не купил часы, у него не было валюты; о) Он курил на рыбалке;
р) Вера сказала, что это был хороший подарок, потому что она всегда хотела, чтобы Вадим бросил курить; т) Вадим поцеловал Веру.

Page 164, #7
а) Мы готовились к Рождеству; b) В этот день мы всегда дарим друг другу подарки; с) Вадим ломал голову, что подарить Вере на Рождество;
d) Гум - сумасшедшее место, там шум и гам; е) Я увидел симпатичное платье; f) Вера будет так рада! g) Я вышел на улицу и закурил; h) Это же так просто! l) Я бросаю курить, обещаю!

Page 164, #8

а) *Для меня это всегда проблема, потому что я терпеть не могу магазины. Вот и сейчас я ломал голову: что купить, что подарить?*
б) *see the previous answer*
в) *"Она хмыкнула". "И она бросила мне платье"*
г) *Вадим был в отделе "Женская Одежда", "Обувь", "Кожгалантерея", "Ювелирный". В Гуме есть отдел "Женское бельё", но Вадим туда не пошёл.*
д) *Вадим хотел подарить Вере платье.*
е) *Вадим не пошёл в отдел "Женское бельё".*
ж) *"Я вышел на улицу, достал спички и сигареты". У Вадима есть спички, но нет зажигалки. Зажигалка - хороший подарок, спички - нет.*
з) *Все знают, что курить вредно!*

Page 173, #4
а) *необычно; б) узнать; в) невозможно; г) исчезла; д) появилась; е) на носу; ж) пир на весь мир!*

Page 173, #5
Possible answers:
а) *Давай поужинаем в ресторане!*
б) *Как обидно!*
в) *Мой друг (моя подруга) опаздывает. Я хочу сделать заказ, дайте мне меню, пожалуйста.*
г) *Давайте поужинаем дома, я приготовлю праздничный ужин!*
д) *Терпеть не могу макароны и сыр! Мы пойдём в другой ресторан.*

Page 174, #7
Неправильно: г) Вера не пришла; з) Снегурочка согласилась танцевать с Вадимом; л)...он увидел Веру.

Page 175, #8
Possible answers:
а) *"Я посмотрел на счёт и мне стало плохо. Больше я ничего не помнил".*
б) *Вадим ел, пил и танцевал, он был влюблён и навеселе.*
в) *"Кто не любит Новый год! Это и мой самый любимый праздник: ёлка, гирлянды, огни, шампанское, Дед Мороз и Снегурочка".*
г) *"Вы знаете, что в Новый год нужно загадать желание? И оно обязательно исполнится!"*
д) *Вадим не узнал Веру-Снегурочку!*
е) *Вера сделала всё так, как она хотела.*

* * *

*In the following supplements, you will find **a set of tests** for all levels and the answers for them. The sign (*) in the answer keys means that variations are possible. The tests are designed to be used with the textbook "I Want To Speak Russian!" Use them after every new topic or grammar material.*

Supplemental materials

Supplement 1 - *a set of tests* for all levels. The tests are designed to be used with the textbook "I Want To Speak Russian!" Use them after every new topic or grammar material.

Supplement 2 - *answer keys* for tests in supplement 1. The sign (*) in the answer keys means that variations in answers are possible.

Supplement 3 - questions for the **final oral exam**. The questions could be also used for different Russian language contests and club discussions. All the questions are in formal "вы" format, but they could be easily changed to informal "ты", if necessary. To prepare for the test, students can use the column "Ответы/Answers" to write in their answers. Most of the answers can be found in the book "I Want To Speak Russian!". However, there are a few topics (such as history, literature, etc) that may require additional sources.

Supplement 1 - Tests

Part 1
Контрольная работа
(Introduction)

Answer the questions: а) **Кто это?**   *(72 points - 4 each if all different)*

_____
_____
_____

_____
_____
_____

_____
_____
_____

_____
_____
_____

_____
_____
_____

_____
_____
_____

б) **Что это?** *(12 points - 3 each)*

_____   _____   _____   _____

в) *Answer the question* **"Где?"** *in Russian (16 points - 2 each)*

Где собака? _____   Где мама? _____
Где кот? _____   Где папа? _____
Где машина? _____   Где дочь? _____
Где дом? _____   Где сын?

Total score____ out of 100.

Grade ____

Part 1
Контрольная работа 1

A. Fill in the blanks with proper words: *(76 points - 4 each)*

1

- _____ ! Как тебя зовут?

- _____ Вера.

- Как дела, Вера?

- _____ .

- _____ муж?

- Он _____ .

- До свидания.

- _____

2

- Здравствуйте, как _____ зовут?

- _____ Вадим.

- У _____ сын или дочь?

- У _____ есть сын Алёша

- Где сын?

- Он _____

- _____

- Пожалуйста.

3

- Знакомьтесь, это Вера и Вадим.

- _____

- А кто это?

- Это _____ Алёша,

а это _____ Булька.

4

- У _____ есть кот?

- Да, у _____ есть кот.

- _____ кот?

- Кот _____ .

B.Complete the sentences using family relations: *(24 points - 4 each)*

Это Вера, она _____ .
Это Алёша, он _____ .
Это Вера и Вадим, они _____ .
Это Вадим и Алёша, они _____ .

Это Вадим, он _____ .
Это Булька, она _____ .

Total score: _____ **out of 100**

Grade: _____

Part 1
Контрольная работа 2
(Classroom objects/Gender/Plurals/Numbers)

1. Fill in the sentences with pronouns он, она, оно, они: *(12 pts - 2 each)*

Это класс. Вот учительница, _____ тут. Это ученики, _____ тоже тут. Где Борис? - _____ тут. Где Лена? - _____ дома. Где ручки и карандаши? - _____ тут. Где бумага? - _____ там.

2. Translate the following words to Russian and write their plural forms: *(60 points - 3 each)*

table		
chair		
map		
picture		
book		
textbook		
(school) student		
glue		
erasor		
scissors		

3. Write singular forms for these words: *(18 pts - 2 each)*

братья _____   столы _____   сёстры _____
друзья _____   стулья _____   сыновья _____
дочери _____   тетради _____   мужчины _____

4. Match the numbers:
(10 - 1 pt each)

два	16
тринадцать	0
двадцать	2
девять	15
шестнадцать	20
десять	9
восемь	13
пятнадцать	7
семь	8
ноль	10

Total score _____ out of 100   **Grade_____**

Part 1
Контрольная работа 3
(Possessives Singular).

1. Fill in the blanks with proper forms of possessives *(20 points - 2 each)*:

Это ___ *(my)* ручка. Это ____ *(my)* журнал. Это ____ *(your)* карандаш? Нет, это не ___ *(my)* карандаш, это ____ *(his)*. Где ___ *(her)* тетрадь? ___ *(her)* тетрадь там, а ____ *(your)* тут. ___ *(whose)* это книга? ____ *(whose)* это мел?

2. Match the possessives with their nouns *(10 points - 1 each)*:

мой	ручка
моя	карандаш
мои	бумага
твой	ножницы
твоя	книга
твои	портфель
его	блокнот
её	линейки
моё	резинки
мои	фото

3. Correct the errors (if any) *(10 points - 1 each)*:

моя мама	мой дочь
мой папа	мои брат и сестра
моя дядя	мой дядя и тётя
мои бабушки	моя друг
мой дедушки	моя подруга и друг

4. Translate the sentences into Russian *(60 points - 4 each)*:

Meet my friend Tanya._____

Is this your sister?_____

Yes, this is my sister_____

Who is this? Is this your brother? (2)_____

No, this is my uncle. _____

Where is your Mom?_____

My Mom is at home._____

Is this your notebook?_____

No, this is his notebook._____

Is this your pencil?_____

No, this is her pencil._____

Is this your dog?_____

No, this is not my dog._____

This is my cat._____

Total score _____ out of 100   **Grade _____**

Part 1
Контрольная работа 4
(Календарь)

1. Correct the spelling errors in days of the week below, and put them in order: (21 points - 3 each)

Вторник   _____

Четверк   _____

Васкресенне   _____

Пятница   _____

Срида   _____

Панедельник   _____

Субота   _____

2. Fill in the missing letters in the names of the months and put them in order: (36 points - 3 each)

1) _____варь   _____

2) сен_____   _____

3) фе_____ль   _____

4) _____брь   _____

5) м_____т   _____

6) де_____   _____

7) _____ель   _____

8) _____ль   _____

9) _____ай   _____

10) ию_____   _____

11) _____ябрь   _____

12) _____ст   _____

3. What are names of seasons of the year? (20 points - 5 each)

winter   spring   summer   fall

_____   _____   _____   _____

4. Describe today's погода: (24 points - 6 each)

1)_____   2)_____

3)_____   4)_____

Total score _____ out of 101

Grade _____

Part 1
Контрольная работа 5
(Город. Природа. Цвета.)

1.Write five of each: *транспорт, интересные места, природа (15 pts - 1 ea):*

———————————   ———————————   ———————————
———————————   ———————————   ———————————
———————————   ———————————   ———————————
———————————   ———————————   ———————————
———————————   ———————————   ———————————

2. Add colors *to the above words, for example:* **красная машина:**
(18 points - 2 each)

———————————————   ———————————————
———————————————   ———————————————
———————————————   ———————————————
———————————————   ———————————————
                  ———————————————

3.Correct the errors where necessary *(27 points - 3 each):*

белый бумага	розовое цветы	синий море
красная ручка	чёрный собака	белый снег
синяя карандаш	серый кот	чёрная небо

4. Translate into Russian *(40 points - 5 each):*

*This is a blue tram.*_____

I see a dog. It's brown. _____

*What's this? It's a grey cat.*_____

Do you have white paper? _____

*I have a yellow pencil.*_____

Where is your green notebook? _____

My black briefcase is at home. _____

This is a red flag. _____

Total score: _____ **out of 100**

Grade: _____

Part 2
Контрольная работа 1
(Verbs - I)

1. Conjugate the verbs: *(30 points - 6 each)*

читать	писать	слушать	делать	гулять

_____

_____

_____

_____

_____

_____

2. Correct the errors and translate the sentences: *(20 points - 2 each)*

Я читаешь книгу.   Я слушаю музыка тоже.
Что ты делаешь?   Мы играем футбол.
Где он гуляет?   Они играют на гитара.
Что он делаешь?   Вы пишешь письмо?
Мы слушаем музыку.   Ты играешь на пианино?

3. Translate into Russian: *(50 points - 5 each)*

a) What are you doing?_____

b) Are you listening to music?_____

c) No, I am reading a book _____

d) Where is Vadim? - He is at home._____

e) What is he doing? _____

f) He is writing a letter. _____

g) Is Vera also at home? _____

h) No, she is at work _____

i) And where is their son Alyosha? _____

j) He is outside playing_____

Total score _____ out of 100

Grade _____

Part 2
Контрольная работа 2
(Verbs - 2. Text: "Дома")

1. Conjugate the following verbs: (18 points)

играть or гулять   (6 pts - 1 each)   писать or жить   (12 pts - 2 each)

——————————   ——————————   ——————————   ——————————
——————————   ——————————   ——————————   ——————————
——————————   ——————————   ——————————   ——————————

2. Find and correct the mistakes: (12 points - 2 each):

Что они делаем?   Алёша играет футбол.
Вадим читаешь газету.   Булька гулять на улице.
Вера слушаю музыку.   Здесь живём Вадим.

3. Answer the questions in Russian: (21 points - 3 each)
(the answers should be based on the story "Дома")

Кто живёт здесь? _____
Где сейчас Вера?_____
Что она делает?_____
Где сейчас Алёша?_____
Что он делает?_____
Где сейчас Вадим?_____
Что он делает?_____

4. Translate into Russian: (50 points - 5 each)

I play tennis _____
I don't play football _____
Do you play basketball?_____
She plays piano_____
What are you doing?_____
I am reading a book _____
Where is your Mom now?_____
She is at home_____
What is she doing?_____
She is writing a letter_____

Total points _____ out of 101

Grade _____

Part 2
Контрольная работа 3
(Verbs - 3)

1. Write the infinitives in Russian and conjugate the verbs: *(14 points - 1 each):*

to understand   to speak

_____   _____

_____ _____   _____ _____

_____ _____   _____ _____

_____ _____   _____ _____

2. Correct the verb endings where necessary: *(12 points - 2 each)*

Я говору по-русски.   Мой друг знаешь японский.

Я изучаю по-английски   Вадим не изучает английский.

Ты понимаишь по-французски?   Вера говорешь по-английски.

3. Answer the questions in Russian: *(25 points - 5 each)*

Ты изучаешь русский? _____

Ты говоришь по-итальянски? _____

Твоя подруга знает французский? _____

Твой друг понимает по-английски? _____

Вера знает английский? _____

4. Write 10 sentences in Russian about your language experience:
(50 points - 5 each; try not to repeat the same verbs more than twice.
Examples of the sentences in English could be: I speak Russian a little. I know
English. I don't read in French, etc.)

1)_____

2)_____

3)_____

4)_____

5)_____

6)_____

7)_____

8)_____

9)_____

10)_____

Total _____ out of 101

Grade_____

Part 2
Контрольная работа 4
(Verbs - 4)

1.Conjugate the verbs: *(18 points - 6 each)*

писать	хотеть	любить
_____	_____	_____
_____	_____	_____
_____	_____	_____
_____	_____	_____
_____	_____	_____
_____	_____	_____

2.Match the words: *(8 points - 1 each)*

говорить	испанский
знать	по-французски
изучать	по-русски
понимать	по-английски
писать	итальянский
читать	русский
учить	немецкий
слушать	по-английски

3.Correct the sentences:
(12 points - 2 each)

Вадим читают журнал.
Вера слушаешь музыку.
Алёша играет в футбол.
Булька гуляете на улице
Они гуляем в парке.
Мы изучаю русский.

4.Fill in the blanks with proper verbs:
(12 points - 2 each)

- Вадим, что ты _____?
- Я _____ книгу.
- А что _____ Вера?
- Она _____ музыку.
- А что _____ Алёша и Булька?
- Они _____ в парке.

4. Translate into Russian: *(50 points - 5 each)*

a) Do you like music?_____
b) Yes, I like music _____
c) Does your friend like to play soccer? _____
d) No, he does not like to play soccer _____
e) What do you want? _____
f) I want bananas. I like bananas (2)_____
g)Do you all want to do homework?_____
h) No, we don't want to do homework_____
i) We want to play guitar_____

Total score _____ out of 100

Grade ___

Part 2
Контрольная работа 5
(Direction vs Location)

1.Translate the questions and <u>answer</u> them in Russian: (30 pts - 3)

Where are you going? _____

Where do you work?_____

Where do you study?_____

Where is Mom?_____

Where is your Dad driving? _____

2.Find and correct the errors where necessary: (12 pts - 2 each)

Я иду в парку.   Я работаю в магазине.

Девочка идёт в библиотеку.   Он учится в школу.

Мама едет на работе.   Мы живём в Америка.

3.Match the sentences: (10 points - 2 each)

Я еду	в лесу
Я гуляю	в порту
Я работаю	в порт
Я иду	в сад
Я живу	в лесу

4. Fill in the blanks with the correct words, for example: (48 pts - 2 ea)
Мой брат - артист. Он работает **в театре**. Он едет **в театр на машине**.

Моя мама доктор. Она работает в _____. Она едет в _____ на _____.

Мой папа шофёр. Он работает в _____. Он едет в _____ на _____.

Мой друг студент. Он работает в _____. Он едет в _____ на _____.

Моя подруга продавец. Она работает в _____. Она едет в _____ на _____.

Мой дядя бизнесмен. Он работает в_____. Он едет в _____ на _____.

Моя тётя учитель. Она работает в _____. Она идёт в _____ _____.

Вера повар. Она работает в _____. Она едет в _____ на _ _____.

Вадим строитель. Он работает на _____. Он едет на _____ на _____.

Total _____ out of 100

Grade_____

Part 2
Контрольная работа 6
(Direction vs Location)

1. Conjugate the verbs: *(12 points - 6 each)*

идти   ехать

_____   _____
_____   _____
_____   _____
_____   _____
_____   _____
_____   _____

2. Find and correct the errors where necessary: *(18 points - 2 each)*

Он идёт в библиотеку.   Мой брат едет в кафе.   Мы живём в городу.
Мы едем в Сиэттл.   Мы едем в ресторану.   Я работаю в порте.
Мы работаем в ресторане.   Папа работает в гараж.   Я иду в порт.

3. Translate into Russian: *(50 points - 5 each)*

a) I go to school. _____
b) I study at_____
c) He drives to a store. _____
d) He works in a store._____
e) We are going to town._____
f) We are going to the movies._____
g) Where are you going? _____
h) We are going to the library._____
i) Where do you work? _____
j) We work at the restaurant._____

4. Write where the members of your family work, and how they go to work in the morning: *(20 points - 4 each)*
For example: *Мой папа работает* **в офисе***, он едет на работу* **на такси.**

1)_____
_____
2)_____
_____
3)_____
_____
4)_____
_____
5)_____

Total score ____ out of 100

Grade ____

Part 2
Контрольная работа 7
(Мой день)

1. Finish the sentences: (15 points - 3 each)

Утром я _____

Днём я _____

Вечером я _____

Ночью я _____

Когда я _____ ?

2. Complete the sentences with time: (15 points -3 each)

Я чищу зубы в _____

Я иду в школу в _____

Я иду домой в _____

Я делаю уроки в _____

Я иду спать в _____

3. Correct the sentences where necessary (15 points - 3 each):

Ночью я играю в футбол.   Утром я ужинаю.

Днём я смотрю телевизор.   Я обедаю вечером.

Вечером я иду в школу.

4. Answer the questions in Russian: (55 points - 5 each)

Когда ты встаёшь? _____

Когда ты завтракаешь?_____

Что ты ешь на завтрак? _____

Ты едешь в школу на такси? _____

Когда ты обедаешь? _____

Что ты делаешь вечером?_____

Что делает вечером мама? _____

Когда вы ужинаете? _____

Когда ты гуляешь? _____

Когда ты смотришь
телевизор?_____

Когда ты идешь спать?_____

5* On the back of this page describe your day (extra credit).

Total score ____ out of 100.

Grade ____

Part 2
Контрольная работа 8
(Мой дом. Text "Новая квартира")

1.Place furniture and other items in correct rooms: (20 points - 1each)

Гостиная комната	Спальня	Кухня	Ванная
Полотенце	Шампунь	Тумбочка	Ковёр
Камин	Стенка	Мыло	Шкаф
Раковина	Холодильник	Диван	Ванна
Зеркало	Кровать	Плита	Посуда
Кресло	Подушка	Стулья	Мочалка

_____   _____   _____   _____

_____   _____   _____   _____

_____   _____   _____   _____

_____   _____   _____   _____

_____   _____   _____   _____

2.Fill in the blanks with proper adjective endings: (40 points - 4 each):

Это нов_____ дом. Там у нас есть хорош_____ квартира. Там есть
горяч_____ и холодн_____ вода. Комнаты больш_____ и светл_____.
Кухня тоже больш_____, но балкон маленьк_____. Около дома есть
красив_____ парк. Это очень хорош_____ парк!

3.Translate the sentences: (40 points - 4 each)

I have good news _____

Vadim goes home early _____

Vera is very happy _____

We have a new apartment_____

We have hot and cold water _____

I don't like to do dishes_____

It's wonderful! _____

I eat breakfast very fast _____

I go to bed late _____

Let's go to the movies _____

Total points_____ out of 100

Grade _____

Part 2
Контрольная работа 9
(Adjectives. Complex Sentences.)

1. Fill in the blanks with proper endings: *(20 points - 2 each)*

нов___ машина   стар___ пальто   плох___ фильм

маленьк___ девочка   красив___ картина   больш___ класс

стар___ дом   интересн___ письмо   светл___ комната

неинтересн___ книга

2. Answer the questions: use adjectives of your choice: *(44 pts - 4 ea)*

Какая это квартира?_____

Какая это книга?_____

Какая это школа?_____

Какой это город?_____

Какой это ученик?_____

Какой это журнал?_____

Какое это пальто?_____

Какое это письмо?_____

Какое это кафе?_____

Какие это студенты?_____

Какие это дома?_____

3. Fill in the blanks with adjectives-colors: *(16 points- 2 each)*

У меня есть _____ костюм.   У них есть _____ кот.

У него есть _____ рубашка.   У вас есть _____ кошка?

У неё есть _____карандаш.   У нас есть _____ собака.

У тебя есть _____ машина?   У кого есть _____ книга?

4. Translate into Russian: *(20 points - 5 each)*

a) I think that Vadim doesn't like to do dishes_____

_____

b) Why doesn't Vadim like to do dishes? _____

_____

c) Vadim doesn't like to do dishes because they have *only cold water in the house _____

_____

d) Vera isn't happy because Vadim doesn't want to do the dishes

_____

_____

(*only - только)

Total score: ____ out of 100

Grade: _____

Part 3
Контрольная работа 1
(Past Tense. Future Tense.)

1. Write past forms of the following verbs: *(7 points)*

спать _____   смотреть_____
работать_____   любить_____
учиться_____   идти_____
                           быть _____

2. Write future forms of the following verbs: *(7 points)*

гулять _____ (я)   завтракать_____ (они)
играть_____ (он)   ехать _____ (вы)
изучать_____ (мы)   идти _____ (я)
                                 быть _____ (она)

3. Change the following sentences to past and future: *(30 pts - 3 each)*

present tense	past tense	future tense
Я читаю журнал.		
Я играю на гитаре.		
Я учусь в школе.		
Я изучаю русский.		
Я говорю по-русски.		

4. Complete the sentences with the proper verb forms: *(36 pts - 4 ea):*

Вчера я _____ в баскетбол, а сегодня я _____ в волейбол.
Недавно мой брат _____ в Москве, а потом он _____в Сан-
Франциско *(to be)*. Сегодня я обедаю в школе, а завтра я
_____ дома. Вчера мы _____ в классе новый
фильм, а сегодня мы _____ книгу. Сейчас я изучаю русский, а
потом я _____ испанский. Сегодня я иду в школу, а
завтра я _____ в кино.

5. Answer the questions in Russian: *(20 points - 5 each)*

What did you do yesterday?_____
What are you going to do tomorrow?_____
Where did you go recently?_____
Where will you go tomorrow?_____

Total points _____ of 100

Grade _____

Part 3
Контрольная работа 2
(Каникулы. Past & Future Tense.)

1. Write the words in English:
(12 points - 2 each)

лагерь _____

курорт _____

отпуск _____

купаться _____

весело _____

просто здорово! _____

2. Write the words in Russian:
(12 points - 2 each)

rest _____

get suntan _____

swim _____

ski _____

boring _____

beach _____

2. Complete the following sentences: *(16 points - 4 each)*:

а) Летом, когда у меня каникулы, я люблю _____

б) Летом, когда у меня каникулы, я не люблю _____

в) Зимой, когда у меня каникулы, я люблю _____

г) Зимой, когда у меня каникулы, я не люблю_____

3. Write 3 sentences what you did during past summer vacation; begin your sentences with "летом, когда у меня были каникулы..." *(15 - 5 ea)*

а)_____

_____

б)_____

_____

в)_____

_____

4. Write 3 sentences what you will be doing during future winter break, begin your sentences with "зимой, когда у меня будут каникулы..." *(15 points - 5 each)*.

а)_____

_____

б)_____

_____

в)_____

_____

5. Translate the sentences into Russian *(30 points - 5 each)*:

a) I like to swim and get suntan in the summer time.

_____

b) Do you like to fish?_____

c) I like to hike in the mountains. _____

d) To go on a boat is fun!_____

e) I don't like hunting, it's boring! _____

f) Vacation is just great!_____

Total score: _____ out of 100

Grade: _____

Part 3
Контрольная работа 3
("Искусство")

1. Translate the words: *(20 - 2 points each)*

stage _____   concert hall _____
playwrite _____   classical music_____
landscape_____   variety orchestra _____
artist _____   painting (picture)_____
play _____   water color _____

2. Agree or disagree with the following sentences: *(24 points - 3 each)*
1) Художник пишет картины._____
2) Композитор пишет спектакли._____
3) Музыкант играет на сцене._____
4) Актёр тоже играет на сцене._____
5) Акварель - это классическая музыка._____
6) Трагедия - это весело. _____
7) Комедия - это скучно._____
8) Эстрадная музыка - это интересно._____

3. Translate into Russian: *(9 points - 3 each)*
1) Peter Tchaikovsky is a famous Russian composer

_____

2) Anton Chekhov is a famous Russian playwrite

_____

3) Ilya Repin is a famous Russian artist

_____

4. Write what you like and what you don't like about art: *(18 pts- 3 each)*
1)_____
2)_____
3)_____
4)_____
5)_____
6)_____

5. Write 3 sentences in Russian with the word "famous".
Please, do not use sentences from assignment 3:   *(9 points - 3 each):*
1)_____
2)_____
3)_____

6. Answer the questions *(20 points - 4 each)*:
Ты любишь музыку?_____
Какую музыку ты любишь?_____
Кто твой любимый актёр?_____
Ты любишь ходить в театр?_____
Ты часто ходишь в театр?_____

Total score ____ out of 100   **Grade_____**

Part 3
Контрольная работа 4
(Искусство II)

1.Insert the proper words: (15 points - 3 each)

1. Робин Уильямс - знаменитый американский _____
2. Джулия Робертс - знаменитая американская _____
3. Илья Репин - знаменитый русский _____
4. Петр Чайковский - знаменитый русский _____
5. Антон Чехов - знаменитый русский _____

2.Arrange the words below in 3 groups (театр, музыка, живопись); translate them into English: (36 points - 2 each)

театр, композитор, живопись, картина, симфония, концертный зал, акварель, пейзаж, художник, эстрада, драматург, масло, сценарий, сочинять музыку, сцена, премъера, спектакль, дирижер

_____ _____ _____
_____ _____ _____
_____ _____ _____
_____ _____ _____
_____ _____ _____
_____ _____ _____

3.Translate the sentences: (50 points - 5 each)

1) I know who it is: it's a famous Russian artist - Ilya Repin.

_____

2) This is a good painting - oil.

_____

3) I don't like oil, I like watercolors.

_____

4) The show is in the theater, it is an opening night.

_____

5) Do you like painting? - No, I don't like art.

_____

6) I like classical and symphony music.

_____

7) This is a very famous playwright.

_____

8) The composer writes contemporary music.

_____

9) Who painted this painting?

_____

10) This is a concert hall where we will listen to the opera tonight.

_____

Total score ____ out of 101   Grade ____

Part 3
Контрольная работа 5
(Искусство III)

1.Change the sentences to make them sound correct: *(20 points - 2ea)*

Сегодня в театре премьера. Вера купила три билета. Она очень любит футбол. Вадим не любит спорт. Он любит искусство. Сегодня вечером они идут в кино. Там играют знаменитые музыканты. Вадим берет газету "Музыка". Вера будет читать газету; Вадим будет смотреть спектакль. Вера говорит, всё в порядке.

2.Translate the sentences: *(65 points - 5 each)*

1) Do you like theater?_____

2) Yes, I like theater, most of all I like drama.

_____

3) I have a surprise for you_____

4) What kind? - Guess! _____

5) Two tickets to the movies! _____

6) Are we going to the opening night?_____

7) Yes, very famous actors play there.

_____

8) Do you like Chekhov? _____

9) I like Tolstoy more _____

10) Why did you buy a newspaper?_____

11) You will watch the play and I will read "Sports"

_____

12) Are you ready? No, I am not ready.

_____

13) Don't worry, everything is all right!

_____

3. List 2 _things_ you like and 2 _things_ you dislike: *(8 points - 2 each)*

1)_____

2)_____

3)_____

4)_____

4. List 2 things you like _doing_ and 2 things you don't like _doing_: *(8 - 2)*

1)_____

2)_____

3)_____

4)_____

Total score ____ out of 101

Grade ____

Part 3
Контрольная работа 6
(Родительный падеж)

1.Write three phrases for each usage of the Genitive Case: (27 pt - 3 ea)
usage 1   usage 2

_____   _____
_____   _____
_____   _____

usage 3

_____
_____
_____

2. In the following story find and underline all nouns and pronouns in the Genitive Case: (24 pts - 4 each)

Это мои друзья - Антон и Андрей. Они - студенты. Андрей живёт недалеко от школы. Он любит слушать музыку, когда идёт в школу. Антон живёт около парка. У него есть собака. Мы часто гуляем в парке: Антон, Андрей, собака и я. У меня нет собаки, но есть кот. Мой кот не любит гулять. Мы часто ходим на рыбалку. Мы ловим рыбу, а собака Антона бегает у реки. Это весело и интересно!

3. Write 5 sentences in Russian about what your friends and family have, for example: "У <u>папы</u> есть машина" or "Это машина <u>папы</u>". (10 pt - 2)
а)_____
б)_____
в)_____
г)_____
д)_____

4.Write the correct forms of the nouns in parentheses (choose between Nominative, Genitive, Accusative and Prepositional cases): (39 pt - 3 each):

1) У меня нет _____ (друг).
2) У меня есть _____ (подруга).
3) Мой дом далеко от _____(школа).
4) Это портфель _____ (директор).
5) Я смотрю _____ (телевизор).
6) Мой брат работает около _____ (банк).
7) У меня нет _____ (сестра), но у меня есть _____ (брат).
8) Я живу в _____ (дом) номер 25, недалеко от _____ (город).
9) Это новый _____ (магазин)?
10) Это книга _____ (студент).
11) Я читаю _____ (книга).

Total score _____ out of 100
Grade _____

1.Write Russian phrases for: *(15 points - 3 each)*

to turn the TV-set on _____
to turn the TV-set off _____
switch the channel _____
on channel 1 _____
TV guide _____

2. List any five TV programs: *(10 points - 2 each)*

_____   _____

_____   _____

                    _____

3.Answer the questions in Russian: *(25 points - 5 each)*

*1) Вы любите смотреть телевизор?*_____

*2) Тебе нравится фантастика?*_____

*3) Какая твоя любимая передача?*_____

4) Какие передачи тебе не нравятся? _____
_____
5) Что вы любите больше: театр, кино или передачи по телевизору?
_____

4. Translate into Russian: *(50 points - 5 each)*

1) What's on TV today? _____
2) There is an action movie on channel 1.
_____
3) I don't like action movies. It's boring.
_____
*4) Let's watch cartoons!*_____
*5) News begin on channel 5.*_____
*6) It's a very funny comedy!*_____
7) What's the name of this program?
_____
*8) I hate watching television!*_____
9) All right, let's watch the play. _____
10) Don't forget, football begins soon.

_____

Total score ____ out of 100
Grade ____

Part 3
Контрольная работа 8
(Продукты)

1. Write any 4 names of products that fit into these groups: *(16 pt - 1 ea)*

молочные	овощи	фрукты	мясо/рыба
_____	_____	_____	_____
_____	_____	_____	_____
_____	_____	_____	_____
_____	_____	_____	_____

add to these groups the appropriate words from below: *(16 pt - 2 each)*

палтус, персики, свекла, икра, груши, творог, морковь, сметана

_____	_____	_____	_____
_____	_____	_____	_____

2. Translate these words and phrases: *(10 points)*

buy _____ (1)   how much _____ (2)
sell_____ (1)   department store _____ (2)
pay_____ (1)   grocery store _____ (2)
cash register _____(1)

3. Correct the wrong words: *(8 points - 2 each)*

п р о д а в а т е л ь   п р о д у к т о в ы й   Г У М
п о к у п а т е л ь   к а с с и р

4. Translate the sentences: *(50 points - 5 each)*

1) I want to buy bread._____
2) Where can I buy sugar?_____
3) How much is the cake?_____
4) Give me, the money, please!_____
5) We are out of rice. _____
6) Can you buy me tea? _____
7) You need to go to the store. _____
8) What else to buy?_____
9) Please, pay at the cash register._____
10) You can buy ice cream here._____

Total points _____ out of 100.

Grade_____

Part 3
Контрольная работа 9
(Дательный падеж)

1.Fill in the blanks with correct endings (18 points - 3 each):

Дай портфель брат___.
Покажи альбом сестр___.
Почитай книгу сын___.

Купи мальчик___ новый костюм.
Принеси собак___ воду.
Расскажи мам___ правду.

2. In the following story find and underline all nouns and pronouns in the Dative Case: (25 points - 5 each)

У меня есть маленький брат. Он очень любит книги. Каждый вечер я читаю брату

книгу. Сегодня вечером я буду читать ему книгу "Два капитана". Это очень

интересная книга. Потом мы будем смотреть детские передачи по телевизору.

Ещё мой брат хочет собаку. Скоро папа купит нам собаку, и мы будем давать ей

есть и пить. Я буду любить мою собаку.

3.Write 5 sentences in Russian about what you and your friends need to do; for example: Мне надо делать уроки. (25 points - 5 each)

а)_____
б_____
в)_____
г)_____
д)_____

4. Write the correct forms of the nouns in parentheses: (33 points - 3 each); (choose between Nominative, Accusative and Dative)

1) У меня есть _____ (гитара), но она старая.
2) _____ (я) надо купить новую гитару.
3) Я очень люблю _____ (музыка).
4) Недавно я купил _____ (сестра) красивое платье.
5) Папа читает _____ (сын) _____ (книга).
6) Я терпеть не могу говорить _____ (телефон).
7) Когда _____ (ты) надо идти в школу?
8) Алёша смотрит мультики _____ (телевизор)
9) _____ (Вера) надо готовить ужин.
10)_____ (Вадим) надо мыть посуду.

Total score _____ out of 101

Grade _____

Part 3
Контрольная работа 10
(Verb Aspect. "Что продают?")

1. Change the sentences to perfective aspect: (10 points - 2 each)

Я читал газету _____
Вера готовила ужин _____
Алёша играл в футбол _____
Вадим мыл посуду _____
Булька гуляла на улице _____

2. Change the sentences to imperfective aspect: (10 points - 2 each)

Вера посмотрела кино _____
Вадим приехал домой рано _____
Алёша не сделал уроки _____
Папа купил новый телевизор _____
Я показал новый альбом _____

3. Write 5 sentences about what you were doing yesterday but never had it done, for example: Вчера я писал письмо, но не написал.
(20 points - 4 each)
1)_____
2)_____
3)_____
4)_____
5)_____

4. Translate into Russian: (60 points - 6 each)

1) Vadim was buying bread _____
2) He was paying at the cash register_____
3) Then he went home _____
4) He was going home fast _____
5) He came home early_____
6) Vera asked him what he bought

_____
7) He answered that he bought bread

_____
8) He showed Vera what he bought

_____
9) He bought fish _____
10)Vadim will go to the store tomorrow again

_____

Total score ____ out of 100

Grade _____

Part 3
Контрольная работа 11
(Москва. Санкт-Петербург)

1. Write the words listed below in Russian: *(20 points - 2 each)*

capital city _____   government_____
big city _____   parliament _____
population _____   president _____
to be located _____   Russian parliament _____
tsar's palace _____   monument _____

2. Fill in the blanks with correct words: *(20 points - 2 each)*

а) Москва - _____ России.
б) Москва - _____ и _____ центр страны.
в) _____ Москвы - 9 миллионов человек.
г) В Москве есть _____ Большой Театр.
д) Здесь выступают _____ _____ артисты.
е) Туристы _____ мира приезжают в Москву.
ж) В Москве работает _____ и _____ России.

3. Translate into Russian: *(50 points - 5 each)*

1) Vera, we are going to St.Petersburg!
_____
2) Are you serious? _____
3) I will go to St.Petersburg with pleasure!
_____
4) Vadim wants to go to the stadium.
_____
5) He wants to watch soccer game.
_____
6) There will be famous players from all over the world.
_____
7) Vera wants to see the tsar's palace.
_____
8) She also wants to see beautiful architecture: buildings, bridges and arches.
_____
9) Are you joking?_____
10) Vera forgot the tickets at home._____

4. List _at least five_ "интересные места" you know in Moscow and St.Petersburg: *(10 points - 2 each; 6 extra credit pts)*

_____   _____
_____   _____
_____   _____
_____

Total score ____ out of 100   Grade ____

Контрольная работа 12
(Cases)

1.Fill in the blanks with the words given in parentheses; use the proper case forms: *(50 points - 2 each)*

1) *Чей это дом? - Это _____ _____ (дом, президент).*
2) *Покажи альбом _____ (бабушка).*
3) *Мы ходили в кино с _____ (подруга).*
4) *Как ты чистил рыбу? Я чистил _____ _____ (рыба, нож)*
5) *Где почта? Почта недалеко от _____ (школа).*
6) *Папа читает _____ _____ (книга, сын).*
7) *Эта книга о _____? Нет, это книга о _____ (спорт, балет).*
8) *Где моя _____? - Она под _____ (ручка, стол)*
9) *У тебя есть _____ (подруга)?*
10) *Нет, у меня нет _____, но у меня есть _____ (подруга, друг).*
11) *Я иду в _____, а мой брат уже в _____ (театр, театр).*
12) *Куда ты едешь? - Я еду в _____ (магазин).*
13) *В _____ я покупаю _____ и _____ (магазин, хлеб, молоко).*
14) *Он купил _____ _____ (картина, сестра).*
15) *Я иду _____ (дом).*

2.Read the story. Define cases of underlined words: *(30 pt - 1 each)*

Я очень люблю спорт. Каждый вторник я иду на стадион с другом. Там мы бегаем, прыгаем и играем в футбол. Мой друг очень хорошо бегает, а я бегаю плохо, но я неплохо играю в футбол. Я пасую мяч другу, а он его ловит. Мой друг стоит около ворот. Он - вратарь. Он всегда ловит мяч, потому что хорошо бегает. Потом мы вместе идём домой и говорим только о футболе. Дома мы смотрим по телевизору спортивные передачи. Мама друга всегда говорит, что мы должны не смотреть телевизор, а читать книги и журналы о спорте. Наверное, она говорит правильно. Мы очень любим спорт!

3. Correct the errors where necessary: *(20 pts - 2 each)*

Я даю книгу друге.
Я иду в театр с подругом.
Мы ехали в Москву на самолётом.
Учитель работает в школу.
Это карандаш девочку.

Расскажи сестре о Чикаго.
Я не вижу собака дома.
Я иду в порту.
Дом стоит под горе.
Это море далеко от город.

Total score _____ out of 100
Grade _____

1.Fill in the blanks with the words given in parentheses; use the proper case forms: *(50 points - 2 each)*

1) Это ручка _____, а это блокнот _____ (внучка, внук).
2) Чей это портфель? Это _____ _____ (портфель, директор).
3) Покажи книгу _____ (мальчик).
4) Мы ходили в кино с _____ (друг).
5) Ты почистил зубы? Я почистил _____ _____ (зубы, щётка).
6) Где _____(банк) ? - Банк недалеко от _____ (зоопарк).
7) Папа показывает _____ _____ (картина, сын).
8) Это фильм о _____(спорт)? - Это фильм о _____(музыка).
9) Где моя _____(бумага)? - Она на _____(стол).
10) У тебя есть _____? (друг)
11) Нет, у меня нет _____(друг), но у меня есть_____ (подруга).
12) Я иду в _____, а моя сестра уже в _____ (школа, школа).
13) Куда ты идёшь? - Я иду в _____ (ресторан).
14) В _____ я вижу _____ и _____ (зоопарк, лиса, слон).

2.Read the story. Define the cases of underlined words: *(30 pt - 1 each)*

Я очень люблю музыку. Каждый понедельник я иду на концерт с подругой.

Там мы слушаем классическую и современную музыку. Моя подруга очень хорошо

играет на пианино. А я играю на пианино плохо, но я хорошо играю на гитаре.

Обычно подруга играет на пианино, а я сижу рядом на диване и играю на гитаре.

Она всегда играет хорошо, а я часто делаю ошибки. Потом мы вместе идём домой

и говорим только о музыке. Дома мы смотрим по телевизору музыкальные

передачи. Папа подруги всегда говорит, что мы должны не смотреть телевизор, а

читать книги и журналы о музыке. Наверное, он говорит правду. Мы очень любим

музыку!

3. Correct the errors where necessary: *(20 points - 2 each)*

Я даю карандаш подругу.
Я иду в театре с другой.
Мы ехали в Сиэттл на автобусе.
Доктор работает в клинику.
Эта книга девочке.

Расскажи сестре о Ситка.
Я не вижу кошка в парке.
Я иду в порте.
Дом стоит под моста.
Это озеро далеко от гора.

Total score _____ **out of 100**   **Grade** _____

Часть 4
Контрольная работа 1
(На почте. Текст "Телеграмма")

1. Match the words: *(5 pts - 1 each)*

срочная	телеграмма
ценная	письмо
простая	посылка
заказное	денежный перевод
телеграфный	бандероль

2. Fill in the blanks with the proper words and phrases: *(15 pts - 3 each)*

Я наклеиваю _____ на письмо. Я бросаю письмо в _____
_____(1). Я получаю _____, когда отправляю
посылку. Я _____ бланк, когда отправляю телеграмму. Я пишу
_____ адрес на письме.

3.Correct the meaning errors where necessary: *(15 pts - 5 each)*

Дайте мне, пожалуйста, мою ценную телеграмму. Я хочу наклеить марку
на письмо. Где моя срочная посылка? Заполните, пожалуйста, адрес.
Я иду на почту в отдел "Посылки", там моя бандероль.

4. Translate into Russian: *(65 pts - 5 each)*

a) I need to send a telegram._____
b) Where can I receive a small package?_____
_____
c) Show me your passport, please._____
_____
d) Here's your receipt._____
e) I don't like to give advice._____
f) I know very well that you speak Russian._____
_____
g) I don't want to help you!_____
h) I crossed out the address on the telegram._____
_____
i) I found out that you learn Russian._____
_____
j) I like ice cream very much! _____
k) Wait for me - I am going!_____
l) Why did you get offended?_____
m) This is all in vain._____

Total points _____ out of 100

Grade _____

Контрольная работа 2
("Телефон". Текст "Пожар)

1.Complete the sentences: *(24 points - 4 each)*

Если я звоню из Москвы в Санкт-Петербург, то это_____
Если я звоню из Москвы в Нью-Йорк, то это_____
Если я слышу короткие гудки, то это значит_____
Если у меня нет телефона дома, то мне нужно _____
Если я не знаю номер телефона, мне нужно звонить в _____
Если номер не отвечает, я слышу _____

2. Place the phrases in order necessary for a telephone call: *(14 pt - 2)*

ждать ответа   _____
повесить трубку   _____
услышать длинный гудок   _____
набрать номер   _____
услышать длинные гудки опять   _____
снять трубку   _____
говорить   _____

3. If you dial these numbers in Russia, you will reach: *(12 pt - 2 each)*:
01 - _____   07 - _____
02 - _____   08 - _____
03 - _____   09 - _____

4. Translate into Russian: *(50 points - 5 each)*
a) I want to book a telephone call with Moscow.

_____
b) Directory? I need a telephone number for Vadim Bogolepov.

_____
c) Miss, I need to call Seattle, and it's urgent!

_____
d) I am so sorry, but you dialed the wrong number again.

_____
e) Why are you yelling? Don't yell!

_____
f) I am scared! - Don't be afraid, everything is all right!

_____
g) At last! Is this the ambulance?

_____
h) Oh, my God, it's so hot here!

_____
i) Are you crazy? There's a fire there!

_____
j) Wait for the answer._____

Total score ____ out of 100
Grade ____

Часть 4
Контрольная работа 3
(Путешествие на самолёте. Текст "Приятное путешествие")

1. Fill in the blanks with correct words: *(18 points - 2 each)*

а) Где я могу купить _____ до Москвы и _____?
б) У стойки номер два начинается _____
_____ и оформление багажа на _____ №50 до Москвы.
в) Пассажиров просят пройти к выходу на _____ в самолёт.
г) Гражданин, у вас _____, вам нужно доплатить за багаж.
д) Наш самолёт выполняет рейс по маршруту Москва-Владивосток.
Просим вас не _____ и пристегнуть _____.

2. List names of places and people on the topic "Airport", such as "airport", "passenger", etc.: *(12 points - 2 each)*

_____   _____
_____   _____
_____   _____

3. Correct the meaning errors where necessary: *(20 points - 4 each)*

а) Чемодан - это ручная кладь; б) Я показываю таможеннику мой паспорт, декларацию и багаж; в) В самолёте я слышу объявление: не спать и пристегнуть ремни; г) Возьмите ваш чемодан и идите на посадку в самолёт; д) Я покупаю билет на самолёт в кассе "Аэрофлота".

4. Translate into Russian: *(50 points - 5 each)*
a) I hate flying on airplanes. _____
b) You may check in your baggage at counter #1.
_____
c) Here's the customs officer: show him your declaration.
_____
d) My God, poor Vera! I need to save her!
_____
e) If you don't have luggage, it means something is wrong.
_____
f) Give me my passport, or I will complain!
_____
g) What a nightmare: the flight is delayed again.
_____
h) Vadim laughed and laughed, again and again.
_____
i) What a fool I am! It's the first of April!
_____
j) I was looking for my key, and I finally found it.
_____

Total score _____ out of 100   Grade _____

Часть 4
Контрольная работа 4
(Путешествие на поезде. Текст "Приключение на поезде")

1. Write the words in Russian: *(6 points - 1 each)*

railway _____   to see off _____
rails _____   to meet _____
terminal _____   porter _____

2. List all the words describing types of trains and parts of a train: *(20 - 2)*

_____   _____
_____   _____
_____   _____
_____   _____
_____   _____

3. Complete the sentences: *(24 points - 3 each)*

а)Внимание пассажиры, на первую _____ второй _____
_____ скорый поезд номер два _____ Москвы.

б) Внимание, со второй _____ первого _____
_____ поезд номер 1 _____ Москву.

4. Translate into Russian: *(50 points - 5 each)*

a) Passengers, get your tickets ready, please.
_____
b) It was late, and Vadim was late as always.
_____
c) The conductor-girl was smiling sweetly.
_____
d) In my pocket I had a ticket on a train.
_____
e) Thank God, you made it all up (thought up)!
_____
f) I was sleeping soundly, and didn't hear the mumbling.
_____
g) Where are you going? You need to go the other way!
_____
h) I am going to my mother-in-law "for pancakes". She will be glad!
_____
i) The old man was a joker, a babbler, and he was crazy, too.
_____
j) It can't be: I have to wait for three days!
_____

Total score: _____ **out of 100**   **Grade** _____

Часть 4
Контрольная работа 5
(Путешествие на корабле. Текст "Белый теплоход")

1. Write the Russian words for: (12 points - 2 each)

dock _____ storm _____

white caps _____ sail _____

seagull _____ shipwreck _____

2. List the words naming types of boats and their parts in Russian: (26 points - 2 each)

_____ _____

_____ _____

_____ _____

_____ _____

_____

3. Correct the meaning errors where necessary: (12 points - 2 each)

1) Место, где пассажиры спят, называется салон. 2) Люди, которые работают на корабле называются пассажиры. 3) Круизное судно - это паром. 4) Когда корабль уходит, это значит он отчаливает. 5) Моряки - это туристы. 6) Путешествовать на теплоходе - это очень быстро.

4. Translate into Russian: (50 points - 5 each)
a) All my life I have dreamed about traveling on a boat.

_____

b) Vera was surprised that people around were talking strangely.

_____

c) Please, Vera, don't get lost in the jewelry store!

_____

d) It was time to go back - the man was a swindler.

_____

e) I don't think I want to drink.

_____

f) Vadim heard a loud cry on the dock.

_____

g) I don't like to demonstrate the knowledge of foreign languages.

_____

h) It was hot, and Vadim was muttering to himself: "Where is kvas here?"

_____

i) I bought tickets on a cruise around Europe - deluxe cabin!

_____

j) I am afraid to travel on a boat - I can't swim.

_____

Total score _____ **out of 100**   **Grade** _____

Часть 4
Контрольная работа 6
(В магазине. Текст "Дары Волхов по-русски".)

1. Какие отделы в ГУМе вы знаете?   *(10 points - 2 each)*

_____   _____

_____   _____

_____

2. Напишите правильные слова: *(15 points - 3 each)*

- Девушка, можно _____ костюм?
- Да, пожалуйста, какой вам нужен _____?
- Я думаю, 48.
- Вот, пожалуйста... Ну как?
- Костюм _____. У вас есть другой?
- Нет, это _____.
- Очень _____.

3. Что вы говорите по-русски когда... :   *(25 points - 5 each)*

you want to try the shoes on _____
*the suit is too small*_____
the shirt is too big _____
the dress is becoming to you _____
*you need a different size*_____

4. Переведите на русский язык: *(50 points - 5 each)*

1) Vera and Vadim always give each other presents

_____
2) Vadim decided to quit smoking

_____
3) Vadim promised Vera that he would never smoke again

_____
*4) To quit smoking is so simple!*_____
5) The saleswoman tossed the dress

_____
6) GUM is a crazy place: there is only loud noise there

_____
*7) What a pretty young girl!*_____
8) I don't have any currency _____
9-10) Vadim was thinking too hard: what to give Vera for Christmas? (2)

_____

_____

Total points _____ out of 100

Grade _____

Контрольная работа 7
(В Ресторане. Текст "Этот весёлый Новый Год!")

1. List 5 places where you can eat in Russia: *(5 points - 1 each)*

———————————   ———————————   ———————————
———————————   ———————————

2. List 10 names of Russian dishes from "Русское Меню": *(20 - 2 each)*

———————————   ———————————   ———————————
———————————   ———————————   ———————————
———————————   ———————————   ———————————
———————————

3. Answer the questions in Russian: *(25 points - 5 each)*

а) Какой ваш любимый праздник?
——

б) Где вы любите отмечать праздники?
——

в) Вы любите обедать в ресторане?
——

г) Что вы любите заказывать в ресторане?
——

д) Какое желание вы любите загадывать на Рождество?
——

4. Translate into Russian: *(50 points - 5 total)*

a) Let's dine at this restaurant.
——

b) What would you like to order?
——

c) Waiter, I want to pay my bill, please.
——

d) Vera is a very good cook (cooks tasty food)
——

e) Vadim decided to play a joke. ———————————————————
f) Allow me to invite you to dance!
——

g) The beautiful Snegurochka agreed to dance with Vadim.
——

i) It was simply impossible to recognize me!
——

j) Vadim was happy and in love!———————————————————————
h) How frustrating: beautiful Snegurochka disappeared!
——

Total score _____ **out of 100**   **Grade** _____

Part 1
Контрольная работа
(Introduction)

Answer the questions: a) **Кто это?**   *(72 points - 4 each if all different)*✳

мама
студентка
Вера

папа
студент
Вадим

сын
брат
внук

дедушка
муж
дядя

дочь
сестра
внучка

бабушка
жена
тётя

б) **Что это?** *(12 points - 3 each)*

машина

дом

кот

собака

в) *Answer the question* **"Где?"** *in Russian (16 points - 2 each)* ✳

Где собака?   собака тут   Где мама?   мама дома
Где кот?   кот там   Где папа?   папа на работе
Где машина? машина тут   Где дочь?   дочь в школе
Где дом?   дом там   Где сын?   сын в школе

Total score_____ out of 100.

Grade _____

Part 1
Контрольная работа 1

A. Fill in the blanks with proper words: *(76 points - 4 each)*

1

- _Привет_ ! Как тебя зовут?
- _Меня зовут_ Вера.
- Как дела, Вера?
- _Хорошо_ .
- _Где_ муж?
- Он _на работе_ *.
- До свидания.
- _До свидания_

2

- Здравствуйте, как _Вас_ зовут?
- _Меня зовут_ Вадим.
- У _Вас есть_ сын или дочь?
- У _меня_ есть сын Алёша
- Где сын?
- Он _в школе_ *
- _Спасибо._
- Пожалуйста.

3

- Знакомьтесь, это Вера и Вадим.
- _Очень приятно._
- А кто это?
- Это _сын_ Алёша,
а это _собака_ Булька.

4

- У _тебя_ есть кот?
- Да, у _меня_ есть кот.
- _Где_ кот?
- Кот _дома_ .

B. Complete the sentences using family relations: *(24 points - 4 each)*

Это Вера, она _мама_ .   Это Вадим, он _папа_ .

Это Алёша, он _сын_ .   Это Булька, она _собака_ .

Это Вера и Вадим, они _муж и жена_ .

Это Вадим и Алёша, они _папа и сын_ .

Total score: _____ out of 100.

Grade: _____

Part 1
Контрольная работа 2
(Classroom objects/Gender/Plurals/Numbers)

1. Fill in the sentences with pronouns он, она, оно, они: *(12 pts - 2 each)*

Это класс. Вот учительница, *Она* тут. Это ученики, *Они* тоже тут. Где Борис? - *Он* тут. Где Лена? - *Она* дома. Где ручки и карандаши? - *Они* тут. Где бумага? - *Она* там.

2. Translate the following words to Russian and write their plural forms: *(60 points - 3 each)*

table	стол	столы
chair	стул	стулья
map	карта	карты
picture	картина	картины
book	книга	книги
textbook	учебник	учебники
(school) student	ученик	ученики
glue	клей	клей
erasor	резинка	резинки
scissors	ножницы	ножницы

3. Write singular forms for these words: *(18 pts - 2 each)*

братья *брат*   столы *стол*   сёстры *сестра*
друзья *друг*   стулья *стул*   сыновья *сын*
дочери *дочь*   тетради *тетрадь*   мужчины *мужчина*

4. Match the numbers: *(10 - 1 pt each)*

2 два   16
13 тринадцать   0
20 двадцать   2
9 девять   15
16 шестнадцать   20
10 десять   9
8 восемь   13
15 пятнадцать   7
7 семь   8
0 ноль   10

Total score _____ **out of 100**   **Grade**_____

Part 1
Контрольная работа 3
(Possessives Singular).

1.Fill in the blanks with proper forms of possessives (20 points - 2 each):

Это _моя_(my) ручка. Это _мой_ (my) журнал. Это _твой_ (your) карандаш? Нет, это не _мой_ (my) карандаш, это _его_ (his). Где _её_ (her) тетрадь? _Её_ (her) тетрадь там, а _твоя_ (your) тут. _Чья_ (whose) это книга? _Чей_ (whose) это мел?

2.Match the possessives with their nouns (10 points - 1 each): ✳

мой —— ручка
моя —— карандаш
мои —— бумага
твой —— ножницы
твоя —— книга
твои —— портфель
его —— блокнот
её —— линейки
моё —— резинки
мои —— фото

3.Correct the errors (if any) (10 points - 1 each):

моя мама   ~~мой~~ дочь _моя_
мой папа   мои брат и сестра
~~моя~~ дядя _мой_   ~~мой~~ дядя и тётя _мои_
мои бабушки   ~~моя~~ друг _мой_
~~мой~~ дедушки _мои_   ~~моя~~ подруга и друг _мои_

4.Translate the sentences into Russian (60 points - 4 each):

Meet my friend Tanya. _Знакомьтесь, это моя подруга Таня._
Is this your sister? _Это твоя сестра?_
Yes, this is my sister _Да, это моя сестра._
Who is this? Is this your brother? (2) _Кто это? Это твой брат?_
No, this is my uncle. _Нет, это мой дядя._
Where is your Mom? _Где твоя мама?_
My Mom is at home. _Моя мама дома._
Is this your notebook? _Это твоя тетрадь?_
No, this is his notebook. _Нет, это его тетрадь._
Is this your pencil? _Это твой карандаш?_
No, this is her pencil. _Нет, это её карандаш._
Is this your dog? _Это твоя собака?_
No, this is not my dog. _Нет, это не моя собака._
This is my cat. _Это мой кот._

Total score ____ **out of 100**   **Grade** _____

Контрольная работа 4
(Календарь)

1. Correct the spelling errors in days of the week below, and put them in order: *(21 points - 3 each)*

Вторник   *Понедельник*
~~Четверк~~   *Вторник*
~~Васкресенне~~   *Среда*
Пятница   *Четверг*
~~Срида~~   *Пятница*
~~Панедельник~~   *Суббота*
~~Субота~~   *Воскресенье*

2. Fill in the missing letters in the names of the months and put them in order: *(36 points - 3 each)*

1) Ян варь   *Январь*
2) сен тябрь   *Февраль*
3) фе враль   *Март*
4) октябрь   *Апрель*
5) м ар т   *Май*
6) де кабрь   *Июнь*
7) апр ель   *Июль*
8) ию ль   *Август*
9) м ай   *Сентябрь*
10) ию нь   *Октябрь*
11) но ябрь   *Ноябрь*
12) авгу ст   *Декабрь*

3. What are names of seasons of the year? *(20 points - 5 each)*

Winter	Spring	Summer	Fall
зима	*весна*	*лето*	*осень*

4. Describe today's погода: *(24 points - 6 each)* ✳

1) *сегодня тепло*   2) *сегодня туман*
3) *идёт дождь*   4) *хорошая погода*

Total score _____ **out of 101**

Grade _____

Part 1
Контрольная работа 5
(Город. Природа. Цвета.)

1.Write five of each: транспорт, интересные места, природа (15 pts - 1 ea): ✳

машина	_музей_	_солнце_
автобус	_театр_	_горы_
грузовик	_ресторан_	_река_
мотоцикл	_почта_	_озеро_
велосипед	_зоопарк_	_море_

2. Add colors to the above words, for example: **красная машина**: ✳
(18 points - 2 each)

синий автобус	_голубая река_
зелёный грузовик	_синее озеро_
жёлтый велосипед	_чёрное море_
чёрный мотоцикл	_коричневые горы_
	красная машина

3.Correct the errors where necessary (27 points - 3 each):

бел~~ый~~ _ая_ бумага   розов~~ое~~ _ые_ цветы   син~~ий~~ _ее_ море

красная ручка   чёрн~~ый~~ _ая_ собака   белый снег

синя~~я~~ _ий_ карандаш   серый кот   чёрн~~ая~~ _ое_ небо

4. Translate into Russian (40 points - 5 each):

This is a blue tram. _Это синий трамвай._

I see a dog. It's brown. _Я вижу собаку. Она коричневая._

What's this? It's a grey cat. _Что это? Это серый кот._

Do you have white paper? _У тебя есть белая бумага?_

I have a yellow pencil. _У меня есть жёлтый карандаш._

Where is your green notebook? _Где твой зелёный блокнот?_

My black briefcase is at home. _Мой чёрный портфель дома._

This is a red flag. _Это красный флаг._

Total score: _____ **out of 100**

Grade: _____

Part 2
Контрольная работа 1
(Verbs - I)

1. Conjugate the verbs: (30 points - 6 each)

читать	писать	слушать	делать	ГУЛЯТЬ
я читаю	пишу	слушаю	делаю	гуляю
ты читаешь	пишешь	слушаешь	делаешь	гуляешь
он читает	пишет	слушает	делает	гуляет
мы читаем	пишем	слушаем	делаем	гуляем
вы читаете	пишете	слушаете	делаете	гуляете
они читают	пишут	слушают	делают	гуляют

2. Correct the errors and translate the sentences: (20 points - 2 each)

Я чита~~ешь~~ **ю** книгу.

Что ты делаешь?

Где он гуляет?

Что он дела~~ешь~~? **ет**

Мы слушаем музыку.

Я слушаю ~~музыка~~ **музыку** тоже.

Мы играем ~~футбол~~. **в футбол**

Они играют на ~~гитара~~. **гитаре**

Вы ~~пишешь~~ письмо? **пишете**

Ты играешь на пианино?

3. Translate into Russian: (50 points - 5 each)

a) What are you doing? Что ты делаешь?

b) Are you listening to music? Ты слушаешь музыку?

c) No, I am reading a book Нет, я читаю книгу.

d) Where is Vadim? - He is at home. Где Вадим? - Он дома.

e) What is he doing? Что он делает?

f) He is writing a letter. Он пишет письмо.

g) Is Vera also at home? Вера тоже дома?

h) No, she is at work Нет, она на работе.

i) And where is their son Alyosha? А где их сын Алёша?

j) He is outside playing Он гуляет на улице.

Total score _____ out of 100

Grade _____

1.Conjugate the following verbs: *(18 points)*

играть or гулять   *(6 pts - 1 each)*   писать or жить   *(12 pts - 2 each)*

играю	*играем*	*живу*	*живём*
играешь	*играете*	*живёшь*	*живёте*
играет	*играют*	*живёт*	*живут*

2. Find and correct the mistakes: *(12 points - 2 each)*:

Что они делаем? *ют*   Алёша играет футбол. *в*
Вадим читаешь газету. *ет*   Булька ~~гулять~~ на улице. *гуляет*
Вера слушаю музыку. *ет*   Здесь живём Вадим. *ёт*

3. Answer the questions in Russian: *(21 points - 3 each)*
(the answers should be based on the story "Дома")

Кто живёт здесь? *Здесь живут Вадим, Вера и Алёша.*
Где сейчас Вера? *Вера сейчас дома*
Что она делает? *Она слушает музыку*
Где сейчас Алёша? *Алёша гуляет на улице*
Что он делает? *Он играет в футбол*
Где сейчас Вадим? *Вадим дома*
Что он делает? *Он читает газету "Спорт."*

4. Translate into Russian: *(50 points - 5 each)*

I play tennis *Я играю в теннис.*
I don't play football *Я не играю в футбол.*
Do you play basketball? *Ты играешь в баскетбол?*
She plays piano *Она играет на пианино.*
What are you doing? *Что ты делаешь?*
I am reading a book *Я читаю книгу.*
Where is your Mom now? *Где сейчас твоя мама?*
She is at home *Она дома.*
What is she doing? *Что она делает?*
She is writing a letter *Она пишет письмо.*

Total points _____ out of 101

Grade _____

Part 2
Контрольная работа 3
(Verbs - 3)

1. Write the infinitives in Russian and conjugate the verbs: *(14 points - 1 each):*

to understand

понимать

понимаю	*понимаем*
понимаешь	*понимаете*
понимает	*понимают*

to speak

говорить

говорю	*говорим*
говоришь	*говорите*
говорит	*говорят*

2. Correct the verb endings where necessary: *(12 points - 2 each)*

Я говорю~~ю~~ по-русски.

Мой друг зна~~ешь~~ет японский.

Я изучаю ~~по-~~английский~~й~~

Вадим не изучает английский.

Ты понима~~ешь~~ешь по-французски?

Вера говор~~ешь~~ит по-английски.

3. Answer the questions in Russian: *(25 points - 5 each)* ✳

Ты изучаешь русский? *Да, я изучаю русский.*
Ты говоришь по-итальянски? *Нет, я не говорю по-итальянски*
Твоя подруга знает французский? *Да, она знает французский.*
Твой друг понимает по-английски? *Да, он понимает по-английски.*
Вера знает английский? *Да, Вера знает английский.*

4. Write 10 sentences in Russian about your language experience:
(50 points - 5 each; try not to repeat the same verbs more than twice.
Examples of the sentences in English could be: I speak Russian a little. I know
English. I don't read in French, etc.)

1) *Я говорю по-русски чуть-чуть.*
2) *Я читаю по-английски.*
3) *Я не пишу по-испански.*
4) _____
5) _____ *etc.*
6) _____
7) _____
8) _____
9) _____
10) _____

Total _____ out of 101

Grade_____

Part 2
Контрольная работа 4
(Verbs - 4)

1. Conjugate the verbs: *(18 points - 6 each)*

писать	хотеть	любить
я пишу	хочу	люблю
ты пишешь	хочешь	любишь
он пишет	хочет	любит
мы пишем	хотим	любим
вы пишете	хотите	любите
они пишут	хотят	любят

2. Match the words: *(8 points - 1 each)* ✳

говорить — испанский
знать — по-французски
изучать — по-русски
понимать — по-английски
писать — итальянский
читать — русский
учить — немецкий
слушать — по-английски

3. Correct the sentences:
(12 points - 2 each)

Вадим ~~читают~~ журнал. *читает*
Вера ~~слушаешь~~ музыку. *слушает*
Алёша играет в футбол.
Булька ~~гуляете~~ на улице. *гуляет*
Они ~~гуляем~~ в парке. *гуляют*
Мы ~~изучаю~~ русский. *изучаем*

4. Fill in the blanks with proper verbs:
(12 points - 2 each)

- Вадим, что ты _делаешь_ ?
- Я _читаю_ книгу.
- А что _делает_ Вера?
- Она _слушает_ музыку.
- А что _делают_ Алёша и Булька?
- Они _гуляют_ в парке.

4. Translate into Russian: *(50 points - 5 each)*

a) Do you like music? _Ты любишь музыку?_
b) Yes, I like music _Да, я люблю музыку._
c) Does your friend like to play soccer? _Твой друг любит играть в футбол?_
d) No, he does not like to play soccer _Нет, он не любит играть в футбол._
e) What do you want? _Что ты хочешь?_
f) I want bananas. I like bananas (2) _Я хочу бананы. Я люблю бананы._
g) Do you all want to do homework? _Вы хотите делать уроки?_
h) No, we don't want to do homework _Нет, мы не хотим делать уроки._
i) We want to play guitar _Мы хотим играть на гитаре._

Total score _____ out of 100

Grade ____

Контрольная работа 5
(Direction vs Location)

1.Translate the questions and <u>answer</u> them in Russian: *(30 pts - 3)* ✳

Where are you going? *Куда ты идёшь? ... в школу.*

Where do you work? *Где ты работаешь? ... в магазине.*

Where do you study? *Где ты учишься? ... в школе.*

Where is Mom? *Где мама? Мама на работе.*

Where is your Dad driving? *Куда едет папа? ... на работу.*

2.Find and correct the errors where necessary: *(12 pts - 2 each)*

Я иду в парку.   Я работаю в магазине.   Он учится в школе.
Девочка идёт в библиотеку. Мама едет на работу.   Мы живём в Америке.

3.Match the sentences: *(10 points - 2 each)* ✳

Я еду ———————————— в лесу
Я гуляю ——————╳————— в порту
Я работаю ————————————— в порт
Я иду ———————————— в сад
Я живу ———————————— в лесу

4. Fill in the blanks with the correct words, for example: *(48 pts - 2 each)*
Мой брат - артист. Он работает **в театре**. Он едет **в театр на машине**.

Моя мама доктор. Она работает в *клинике*. Она едет в *клинику*
на *машине* .
Мой папа шофёр. Он работает в *гараже* . Он едет в *гараж*
на *автобусе* .
Мой друг студент. Он работает в *порту* . Он едет в *порт*
на *мотоцикле* .
Моя подруга продавец. Она работает в *магазине*. Она едет в *магазин*
на *трамвае* .
Мой дядя бизнесмен. Он работает в *офисе* . Он едет в *офис*
на *машине* .
Моя тётя учитель. Она работате в *школе* . Она идёт в *школу*
пешком .
Вера повар. Она работает в *ресторане* . Она едет в *ресторан*
на *автобусе* .
Вадим строитель. Он работает на *стройке* . Он едет на *стройку*
на *автобусе* .

Total _____ out of 100
Grade_____

Part 2
Контрольная работа 6
(Direction vs Location)

1. Conjugate the verbs: (12 points - 6 each)

идти

я иду
ты идёшь
он/а идёт
мы идём
вы идёте
они идут

ехать

я еду
ты едешь
он/а едет
мы едем
вы едете
они едут

2. Find and correct the errors where necessary: (18 points - 2 each)

Он идёт в библиотеку.   Мой брат едет в кафе.   Мы живём в город~~у~~ е

Мы едем в Сиэттл.   Мы едем в ресторан~~х~~   Я работаю в порт~~е~~ у

Мы работаем в ресторане.   Папа работает в гараже   Я иду в порт.

3. Translate into Russian: (50 points - 5 each)

a) I go to school. _Я иду в школу_

b) I study at _Я учусь в школе._

c) He drives to a store. _Он едет в магазин._

d) He works in a store. _Он работает в магазине._

e) We are going to town. _Мы идём в город._

f) We are going to the movies. _Мы идём в кино._

g) Where are you going? _Куда ты идёшь?_

h) We are going to the library. _Мы идём в библиотеку._

i) Where do you work? _Где ты работаешь?_

j) We work at the restaurant. _Мы работаем в ресторане._

4. Write where the members of your family work, and how they go to work in the morning: (20 points - 4 each)

For example: Мой папа работает **в офисе**, он едет на работу **на такси.**

1) _Моя мама работает в магазине, она едет на работу на автобусе._

2) _____

3) _____ etc. _____

4) _____

5) _____

Total score _____ out of 100

Grade _____

Part 2
Контрольная работа 7
(Мой день)

1. Finish the sentences: (15 points - 3 each) ✳

Утром я _иду на работу._
Днём я _делаю уроки._
Вечером я _смотрю телевизор._
Ночью я _сплю._
Когда я _читаю книги_ ?

2. Complete the sentences with time: (15 points -3 each) ✳

Я чищу зубы в _семь часов._
Я иду в школу в _восемь часов._
Я иду домой в _два часа._
Я делаю уроки в _пять часов._
Я иду спать в _десять часов._

3. Correct the sentences where necessary (15 points - 3 each):

Днём
~~Ночью~~ я играю в футбол.

завтракаю
Утром я ~~ужинаю.~~

Днём я смотрю телевизор.

Я обедаю ~~вечером.~~
днём

Утром
~~Вечером~~ я иду в школу.

4. Answer the questions in Russian: (55 points - 5 each)

Когда ты встаёшь? _Я встаю утром в семь часов._
Когда ты завтракаешь? _Я завтракаю в восемь часов._
Что ты ешь на завтрак? _Я ем кашу на завтрак._
Ты едешь в школу на такси? _Я еду в школу на автобусе._
Когда ты обедаешь? _Я обедаю в два часа._
Что ты делаешь вечером? _Вечером я читаю книги._
Что делает вечером мама? _Мама слушает музыку._
Когда вы ужинаете? _Мы ужинаем в шесть часов._
Когда ты гуляешь? _Я гуляю днём._
Когда ты смотришь телевизор? _Я смотрю телевизор вечером._
Когда ты идешь спать? _Я иду спать в десять часов._

5* On the back of this page describe your day (extra credit).

Total score ____ out of 100.

Grade ____

Part 2
Контрольная работа 8
(Мой дом. Text "Новая квартира")

1. Place furniture and other items in correct rooms: *(20 pts -1each)*

Гостиная комната	Спальня	Кухня	Ванная
Полотенце	Шампунь	Тумбочка	Ковёр
Камин	Стенка	Мыло	Шкаф
Раковина	Холодильник	Диван	Ванна
Зеркало	Кровать	Плита	Посуда
Кресло	Подушка	Стулья	Мочалка
Камин	*кровать*	*посуда*	*мочалка*
Кресло	*подушка*	*плита*	*ванна*
Стенка	*тумбочка*	*раковина*	*мыло*
Диван	*шкаф*	*холодильник*	*полотенце*
Ковёр	*зеркало*	*стулья*	*шампунь*

2. Fill in the blanks with proper adjective endings: *(40 pts - 4 each):*

Это нов*ый* дом.   Там у нас есть хорош*ая* квартира.
Там есть горяч*ая* и холодн*ая* вода.
Комнаты больш*ие* и светл*ые*.
Кухня тоже больш*ая*, но балкон маленьк*ий*.
Около дома есть красив*ый* парк. Это очень хорош*ий* парк!

3. Translate the sentences: *(40 points - 4 each)*

I have good news *У меня есть хорошая новость.*

Vadim goes home early *Вадим идёт домой рано.*

Vera is very happy *Вера очень рада.*

We have a new apartment *У нас новая квартира.*

We have hot and cold water *У нас есть горячая и холодная вода.*

I don't like to do dishes *Я не люблю мыть посуду.*

It's wonderful! *Это прекрасно (замечательно)!*

I eat breakfast very fast *Я завтракаю быстро.*

I go to bed late *Я иду спать поздно.*

Let's go to the movies *Давай пойдём в кино.*

Total points_____ out of 100   Grade _____

Part 2
Контрольная работа 9
(Adjectives. Complex Sentences.)

1. Fill in the blanks with proper endings: *(20 pts - 2 each)*

нов _ая_ машина
маленьк _ая_ девочка
стар _ый_ дом

стар _ое_ пальто
красив _ая_ картина
интересн _ое_ письмо
неинтересн _ая_ книга

плох _ой_ фильм
больш _ой_ класс
светл _ая_ комната

2. Answer the questions: use adjectives of your choice: *(44 pts - 4 each)* ✳

Какая это квартира? _Это новая квартира._
Какая это книга? _Это интересная книга._
Какая это школа? _Это большая школа._
Какой это город? _Это красивый город._
Какой это ученик? _Это хороший ученик._
Какой это журнал? _Это неинтересный журнал._
Какое это пальто? _Это старое пальто._
Какое это письмо? _Это интересное письмо._
Какое это кафе? _Это новое кафе._
Какие это студенты? _Это хорошие студенты._
Какие это дома? _Это старые дома._

3. Fill in the blanks with adjectives-colors: *(16 pts - 2 each)*

У меня есть _синий_ костюм.
У него есть _белая_ рубашка.
У неё есть _чёрный_ карандаш.
У тебя есть _красная_ машина?

У них есть _серый_ кот.
У вас есть _серая_ кошка?
У нас есть _чёрная_ собака.
У кого есть _зелёная_ книга?

4. Translate into Russian: *(20 pts - 5 each)*

a) I think that Vadim doesn't like to do dishes _Я думаю,_
что Вадим не любит мыть посуду.

b) Why doesn't Vadim like to do dishes? _Почему Вадим_
не любит мыть посуду?

c) Vadim doesn't like to do dishes because they have *only cold water in the house
Вадим не любит мыть посуду, потому
что у них в доме есть только холодная вода.

d) Vera isn't happy because Vadim doesn't want to do the dishes
Вера не рада, потому что Вадим не
хочет мыть посуду.

(*only - только)

Total score: _____ out of 100   **Grade:** _____

Part 3
Контрольная работа 1
(Past Tense. Future Tense.)

1.Write past forms of the following verbs: (7 points)

спать _спал_

работать _работал_

учиться _учился_

смотреть _смотрел_

любить _любил_

идти _шёл_

быть _был_

2.Write future forms of the following verbs: (7 points)

гулять _буду гулять_ (я)

играть _будет играть_ (он)

изучать _будем изучать_ (мы)

завтракать _будут завтракать_ (они)

ехать _поедете_ (вы)

идти _пойду_ (я)

быть _будет_ (она)

3.Change the following sentences to past and future: (30 pts - 3 each)

present tense	past tense	future tense
Я читаю журнал.	читал/а	буду читать
Я играю на гитаре.	играл/а	буду играть
Я учусь в школе.	учился/училась	буду учиться
Я изучаю русский.	изучал/а	буду изучать
Я говорю по-русски.	говорил/а	буду говорить

4. Complete the sentences with the proper verb forms: (36 pts - 4 ea):

Вчера я _играл_ в баскетбол, а сегодня я _играю_ в волейбол. Недавно мой брат _был_ в Москве, а потом он _будет_ в Сан-Франциско (to be). Сегодня я обедаю в школе, а завтра я _буду обедать_ дома. Вчера мы _смотрели_ в классе новый фильм, а сегодня мы _читаем_ книгу. Сейчас я изучаю русский, а потом я _буду изучать_ испанский. Сегодня я иду в школу, а завтра я _пойду_ в кино.

5.Answer the questions in Russian: (20 points - 5 each) ✳

What did you do yesterday? _Вчера я читал книгу._

What are you going to do tomorrow? _Завтра я буду работать._

Where did you go recently? _Недавно я ходил в поход._

Where will you go tomorrow? _Завтра я пойду в кино._

Total points _____ of 100

Grade _____

Part 3
Контрольная работа 2
(Каникулы. Past & Future Tense.)

1.Write the words in English:
(12 points - 2 each)
лагерь _camp_
курорт _resort_
отпуск _vacation_
купаться _swim, bathe_
весело _fun_
просто здорово! _just great!_

2.Write the words in Russian:
(12 points - 2 each)
rest _отдыхать_
get suntan _загарать_
swim _плавать_
ski _кататься на лыжах_
boring _скучно_
beach _пляж/берег_

2.Complete the following sentences: (16 points - 4 each): ✳

а) Летом, когда у меня каникулы, я люблю _купаться_
б) Летом, когда у меня каникулы, я не люблю _ловить рыбу_
в) Зимой, когда у меня каникулы, я люблю _кататься на лыжах_
г) Зимой, когда у меня каникулы, я не люблю _ходить на охоту_

3. Write 3 sentences what you did during past summer vacation; begin your sentences with "летом, когда у меня были каникулы..." (15 - 5 ea)
а)_____
б) _Летом, когда у меня были каникулы, я купался и загарал_
в) _etc._

4. Write 3 sentences what you will be doing during future winter break, begin your sentences with "зимой, когда у меня будут каникулы..."
(15 points - 5 each).
а)_____
б) _Зимой, когда у меня будут каникулы, я буду кататься на лыжах._
в)_____

5.Translate the sentences into Russian (30 points - 5 each):
a) I like to swim and get suntan in the summer time.
Я люблю плавать и загарать летом.
b) Do you like to fish? _Ты любишь ловить рыбу?_
c) I like to hike in the mountains. _Я люблю ходить в горы._
d) To go on a boat is fun! _Кататься на лодке — весело!_
e) I don't like hunting, it's boring! _Не люблю охоту — это скучно._
f) Vacation is just great! _Каникулы — это просто здорово!_

Total score: _____ out of 100
Grade: _____

Part 3
Контрольная работа 3
("Искусство")

1. Translate the words: (20 - 2 points each)

stage _сцена_   concert hall _концертный зал_

playwrite _драматург_   classical music _классическая музыка_

landscape _пейзаж_   variety orchestra _эстрадный оркестр_

artist _художник_   painting (picture) _картина_

play _спектакль_   water color _акварель_

2. Agree or disagree with the following sentences: (24 points - 3 each)

1) Художник пишет картины. _Да._

2) Композитор пишет спектакли. _Композитор пишет музыку._

3) Музыкант играет на сцене. _Да._

4) Актёр тоже играет на сцене. _Да._

5) Акварель - это классическая музыка. _Акварель – это живопись._

6) Трагедия - это весело. _Трагедия - это не весело._

7) Комедия - это скучно. _Комедия – это весело._

8) Эстрадная музыка - это интересно. _Да / Нет._

3. Translate into Russian: (9 points - 3 each)

1) Peter Tchaikovsky is a famous Russian composer

Пётр Чайковский – знаменитый русский композитор.

2) Anton Chekhov is a famous Russian playwrite

Антон Чехов – знаменитый русский драматург.

3) Ilya Repin is a famous Russian artist

Илья Репин – знаменитый русский художник.

4. Write what you like and what you don't like about art: (18 pts- 3 each)

1) _Мне нравится масло._

2) _____

3) _Мне не нравится драма._

4) _____

5) _etc._

6) _____

5. Write 3 sentences in Russian with the word "famous".

Please, do not use sentences from assignment 3: (9 points - 3 each):

1) _Майкл Джордан – знаменитый американский_

2) _спортсмен._

3) _etc._

6. Answer the questions (20 points - 4 each):

Ты любишь музыку? _Да, я люблю музыку._

Какую музыку ты любишь? _Я люблю классическую музыку._

Кто твой любимый актёр? _Мой любимый актёр –_

Ты любишь ходить в театр? _Да, я люблю ходить в театр._

Ты часто ходишь в театр? _Нет, я хожу в театр не часто._

Total score ____ **out of 100**   **Grade** ____

Part 3
Контрольная работа 4
(Искусство II)

1. Insert the proper words: (15 points - 3 each)

1. Робин Уильямс - знаменитый американский ___актёр___
2. Джулия Робертс - знаменитая американская ___актриса___
3. Илья Репин - знаменитый русский ___художник___
4. Петр Чайковский - знаменитый русский ___композитор___
5. Антон Чехов - знаменитый русский ___драматург___

2. Arrange the words below in 3 groups (театр, музыка, живопись); translate them into English: (36 points - 2 each)

театр, композитор, живопись, картина, симфония, концертный зал, акварель, пейзаж, художник, эстрада, драматург, масло, сценарий, сочинять музыку, сцена, премьера, спектакль, дирижер

театр	композитор	живопись
драматург	симфония	картина
сценарий	концертный зал	акварель
сцена	эстрада	пейзаж
премьера	сочинять музыку	художник
спектакль	дирижер	масло

3. Translate the sentences: (50 points - 5 each)

1) I know who it is: it's a famous Russian artist - Ilya Repin.
Я знаю кто это. Это - знаменитый русский художник - Илья Репин.

2) This is a good painting - oil.
Это хорошая картина - масло.

3) I don't like oil, I like watercolors.
Я не люблю масло. Я люблю акварель.

4) The show is in the theater, it is an opening night.
Спектакль был в театре. Это была премьера.

5) Do you like painting? - No, I don't like art.
Вам нравится живопись? - Нет, я не люблю искусство.

6) I like classical and symphony music.
Я люблю классическую и симфоническую музыку.

7) This is a very famous playwright.
Это очень знаменитый драматург.

8) The composer writes contemporary music.
Композитор сочиняет эстрадную музыку.

9) Who painted this painting?
Кто написал эту картину?

10) This is a concert hall where we will listen to the opera tonight.
Это концертный зал, где мы будем слушать оперу вечером.

Total score _____ **out of 101**   **Grade** _____

Part 3
Контрольная работа 5
(Искусство III)

1.Change the sentences to make them sound correct: (20 points - 2ea)

театр

Сегодня в ~~театре~~ премьера. Вера купила ~~три~~ *два* билета. Она очень любит *не*
~~футбол~~. Вадим ~~не~~ любит спорт. Он любит искусство. Сегодня вечером
они идут в кино. Там играют знаменитые ~~музыканты~~. Вадим берёт газету
"~~Музыка~~". ~~Вера~~ будет читать газету; ~~Вадим~~ будет смотреть спектакль.
Вера говорит, всё в порядке.   *Вера*   *актёры*

спорт   Вадим

2.Translate the sentences: (65 points - 5 each)

1) Do you like theater? *Вам нравится театр?*

2) Yes, I like theater, most of all I like drama.
Да, мне нравится театр, больше всего-драма.

3) I have a surprise for you *У меня есть для тебя сюрприз.*

4) What kind? - Guess! *Какой? - Угадай!*

5) Two tickets to the movies! *Два билета в кино.*

6) Are we going to the opening night? *Мы идём на премьеру?*

7) Yes, very famous actors play there.
Да, там играют знаменитые актёры.

8) Do you like Chekhov? *Вам нравится Чехов?*

9) I like Tolstoy more *Мне больше нравится Толстой*

10) Why did you buy a newspaper? *Зачем ты купил газету?*

11) You will watch the play and I will read "Sports"
Ты будешь смотреть спектакль, а я буду читать
                                                        "Спорт."
12) Are you ready? No, I am not ready.
Ты готов? - Нет, я не готов.

13) Don't worry, everything is all right!
Спокойно, всё в порядке.

3. List 2 things you like and 2 things you dislike: (8 points - 2 each)
1)
2) *Мне нравится акварель*
3) *Мне не нравится спорт.*
4)   *etc.*

4. List 2 things you like doing and 2 things you don't like doing: (8 - 2)
1)
2) *Мне нравится играть на гитаре.*
3) *Мне не нравится делать уроки.*
4)

Total score ____ out of 101

Grade ____

Part 3
Контрольная работа 6
(Родительный падеж)

1.Write three phrases for each usage of the Genitive Case: *(27 pt - 3 ea)*

    usage 1   usage 2   ✳

У меня нет собаки   Это дом бабушки
                etc.   etc.

                       usage 3

Я живу недалеко от парка.
                       etc.

2. In the following story find and underline all nouns and pronouns in the Genitive Case: *(24 pts - 4 each)*

Это мои друзья - Антон и Андрей. Они - студенты. Андрей живёт недалеко от школы. Он любит слушать музыку, когда идёт в школу. Антон живёт около парка. У него есть собака. Мы часто гуляем в парке: Антон, Андрей, собака и я. У меня нет собаки, но есть кот. Мой кот не любит гулять. Мы часто ходим на рыбалку. Мы ловим рыбу, а собака Антона бегает у реки. Это весело и интересно!

3. Write 5 sentences in Russian about what your friends and family ✳ **have,** *for example: "У папы есть машина" or "Это машина папы". (10 pt - 2)*

а) _____
б) У бабушки есть картина.
                               etc.
в) _____
г) Это книга студентки
                               etc.
д) _____

4.Write the correct forms of the nouns in parentheses *(choose between Nominative, Genitive, Accusative and Prepositional cases): (39 pt - 3 each):*

1) У меня нет ___друга___ (друг).
2) У меня есть ___подруга___ (подруга).
3) Мой дом далеко от ___школы___ (школа).
4) Это портфель ___директора___ (директор).
5) Я смотрю ___телевизор___ (телевизор).
6) Мой брат работает около ___банка___ (банк).
7) У меня нет ___сестры___ (сестра), но у меня есть ___брат___ (брат).
8) Я живу в ___доме___ (дом) номер 25, недалеко от ___города___ (город).
9) Это новый ___магазин___ (магазин)?
10) Это книга ___студента___ (студент).
11) Я читаю ___книгу___ (книга).

Total score _____ out of 100
Grade _____

Part 3
Контрольная работа 7
(Искусство-IV. "В субботу вечером")

1. Write Russian phrases for: (15 points - 3 each)

to turn the TV-set on __включить телевизор__
to turn the TV-set off __выключить телевизор__
switch the channel __переключить канал__
on channel 1 __по первому каналу__
TV guide __программа__

2. List any five TV programs: (10 points - 2 each) *
__мультфильм__   __музыкальная__
__новости__   __передача__
          etc.
_____

3. Answer the questions in Russian: (25 points - 5 each) *

1) Вы любите смотреть телевизор? __Я люблю смотреть ТВ.__

2) Тебе нравится фантастика? __Мне нравится фантастика.__

3) Какая твоя любимая передача? __Мультики.__

4) Какие передачи тебе не нравятся? __Мне не нравятся__
__развлекательные передачи.__
5) Что вы любите больше: театр, кино или передачи по телевизору?
__Я больше люблю театр.__

4. Translate into Russian: (50 points - 5 each)

1) What's on TV today? __Что сегодня по телевизору?__
2) There is an action movie on channel 1.
__идёт боевик по первому каналу.__
3) I don't like action movies. It's boring.
__Я не люблю боевики. Это скучно.__
4) Let's watch cartoons! __Давай смотреть мультики!__
5) News begin on channel 5. __Новости начинаются по 5 каналу.__
6) It's a very funny comedy! __Это очень смешная комедия.__
7) What's the name of this program?
__Как называется эта передача?__
8) I hate watching television! __Терпеть не могу смотреть ТВ!__
9) All right, let's watch the play. __Хорошо, давай смотреть спектакль.__
10) Don't forget, football begins soon.
__Не забудь, скоро начинается футбол.__

Total score ____ out of 100
Grade ____

1. Write any 4 names of products that fit into these groups: *(16 pt - 1 ea)* ✳

молочные	овощи	фрукты	мясо/рыба
молоко	картошка	виноград	колбаса
сметана	лук	апельсины	индейка
сыр	капуста	яблоки	палтус
мороженое	помидоры	арбуз	лосось
йогурт			курица

add to these groups the appropriate words from below: *(16 pt - 2 each)*

палтус, персики, свекла, икра, груши, творог, морковь, сметана

творог	свекла	персики	палтус
сметана	морковь	груши	икра

2. Translate these words and phrases: *(10 points)*

buy __покупать__ (1)   how much __сколько стоит__ (2)
sell __продавать__ (1)   department store __универмаг (ГУМ)__ (2)
pay __платить__ (1)   grocery store __продуктовый магазин__ (2)
cash register __касса__ (1)

3. Correct the wrong words: *(8 points - 2 each)* ✳

п р о д а в а~~т е л ь~~ ей   ~~продуктовый~~ Г У М

п о к у п а т е л ь   к а с с и р

4. Translate the sentences: *(50 points - 5 each)*

1) I want to buy bread. __Я хочу купить хлеб.__
2) Where can I buy sugar? __Где я могу купить сахар?__
3) How much is the cake? __Сколько стоит торт?__
4) Give me, the money, please! __Дайте мне деньги, пожалуйста__
5) We are out of rice. __У нас нет риса.__
6) Can you buy me tea? __Ты можешь купить мне чай?__
7) You need to go to the store. __Тебе надо идти в магазин.__
8) What else to buy? __Что ещё купить?__
9) Please, pay at the cash register. __Платите в кассу, пожалуйста.__
10) You can buy ice cream here. __Ты можешь купить мороженое здесь.__

Total points ____ out of 100.

Grade____

Part 3
Контрольная работа 9
(Дательный падеж)

1. Fill in the blanks with correct endings *(18 points - 3 each)*:

Дай портфель брат*у*.   Купи мальчик*у* новый костюм.
Покажи альбом сестр*е*.   Принеси собак*е* воду.
Почитай книгу сын*у*.   Расскажи мам*е* правду.

2. In the following story find and underline all nouns and pronouns in the Dative Case: *(25 points - 5 each)*

У меня есть маленький брат. Он очень любит книги. Каждый вечер я читаю <u>брату</u>

книгу. Сегодня вечером я буду читать <u>ему</u> книгу "Два капитана". Это очень

интересная книга. Потом мы будем смотреть детские передачи <u>по телевизору</u>.

Ещё мой брат хочет собаку. Скоро папа купит <u>нам</u> собаку, и мы будем давать <u>ей</u>

есть и пить. Я буду любить мою собаку.

3. Write 5 sentences in Russian about what you and your friends need to do; for example: <u>Мне надо делать уроки.</u> *(25 points - 5 each)*

а) *Мне надо идти в школу.*
б) *Маме надо ехать на работу.*
в) _____
г) _____ *etc.*
д) _____

4. Write the correct forms of the nouns in parentheses: *(33 points - 3 each); (choose between Nominative, Accusative and Dative)*

1) У меня есть *гитара* (гитара), но она старая.
2) *Мне* (я) надо купить новую гитару.
3) Я очень люблю *музыку* (музыка).
4) Недавно я купил *сестре* (сестра) красивое платье.
5) Папа читает *сыну* (сын) *книгу* (книга).
6) Я терпеть не могу говорить *по телефону* (телефон).
7) Когда *тебе* (ты) надо идти в школу?
8) Алёша смотрит мультики *по·телевизору* (телевизор)
9) *Вере* (Вера) надо готовить ужин.
10) *Вадиму* (Вадим) надо мыть посуду.

Total score _____ out of 101

Grade _____

Part 3
Контрольная работа 10
(Verb Aspect. "Что продают?")

1. Change the sentences to perfective aspect: (10 points - 2 each)

Я читал газету __Я прочитал газету.__
Вера готовила ужин __Вера приготовила ужин.__
Алёша играл в футбол __Алёша поиграл в футбол.__
Вадим мыл посуду __Вадим помыл посуду.__
Булька гуляла на улице __Булька погуляла на улице.__

2. Change the sentences to imperfective aspect: (10 points - 2 each)

Вера посмотрела кино __Вера смотрела кино.__
Вадим приехал домой рано __Вадим ехал домой рано.__
Алёша не сделал уроки __Алёша не делал уроки.__
Папа купил новый телевизор __Папа покупал телевизор.__
Я показал новый альбом __Я показывал новый альбом.__

3. Write 5 sentences about what you were doing yesterday but never had it done, for example: Вчера я <u>писал</u> письмо, но не <u>написал</u>.
(20 points - 4 each)
1) __Вчера я читал книгу, но не прочитал.__
2) _____
3) __Вчера я делал уроки, но не сделал.__
4) _____ etc.
5) _____

4. Translate into Russian: (60 points - 6 each)

1) Vadim was buying bread __Вадим покупал хлеб.__
2) He was paying at the cash register __Он платил в кассу.__
3) Then he went home __Потом он пошёл домой.__
4) He was going home fast __Он шёл быстро.__
5) He came home early __Он пришёл домой рано.__
6) Vera asked him what he bought
__Вера спросила его, что он купил.__
7) He answered that he bought bread
__Он ответил, что купил хлеб.__
8) He showed Vera what he bought
__Он показал Вере, что он купил.__
9) He bought fish __Он купил рыбу.__
10) Vadim will go to the store tomorrow again
__Завтра Вадим пойдёт в магазин опять.__

Total score _____ out of 100

Grade _____

Part 3
Контрольная работа 11
(Москва. Санкт-Петербург)

1. Write the words listed below in Russian: *(20 points - 2 each)*

capital city _столица_

big city _крупный город_

population _население_

to be located _находиться_

tsar's palace _царский дворец_

government _правительство_

parliament _парламент_

president _президент_

Russian parliament _Дума_

monument _памятник_

2. Fill in the blanks with correct words: *(20 points - 2 each)* ✳

а) Москва - _столица_ России.

б) Москва - _культурный_ и _экономический_ центр страны.

в) _Население_ Москвы - 9 миллионов человек.

г) В Москве есть _знаменитый_ Большой Театр.

д) Здесь выступают _самые_ _лучшие_ артисты.

е) Туристы _со всего_ мира приезжают в Москву.

ж) В Москве работает _правительство_ и _парламент_ России.

3. Translate into Russian: *(50 points - 5 each)*

1) Vera, we are going to St.Petersburg!
Вера, мы едем в Санкт-Петербург!

2) Are you serious? _Ты серьёзно?_

3) I will go to St.Petersburg with pleasure!
Я поеду в Санкт-Петербург с удовольствием.

4) Vadim wants to go to the stadium.
Вадим хочет идти на стадион.

5) He wants to watch soccer game.
Он хочет смотреть футбол.

6) There will be famous players from all over the world.
Там будут знаменитые футболисты со всего мира.

7) Vera wants to see the tsar's palace.
Вера хочет посмотреть царский дворец.

8) She also wants to see beautiful architecture: buildings, bridges and arches.
Она хочет посмотреть красивую архитектуру: дома, мосты, арки.

9) Are you joking? _Ты шутишь?_

10) Vera forgot the tickets at home. _Вера забыла дома билеты_

4. List at least five "интересные места" you know in Moscow and St.Petersburg: *(10 points - 2 each; 6 extra credit pts)* ✳

Большой Театр

Красная площадь

Кремль

Собор Василия Блаженного

Невский проспект

Эрмитаж

Русский музей

Летний сад.

Total score _____ out of 100   **Grade _____**

Part 3
Контрольная работа 12
(Cases)

1.Fill in the blanks with the words given in parentheses; use the proper case forms: (50 points - 2 each)

1) Чей это дом? - Это _дом_ _президента_ (дом, президент).
2) Покажи альбом _бабушке_ (бабушка).
3) Мы ходили в кино с _подругой_ (подруга).
4) Как ты чистил рыбу? Я чистил _рыбу_ _ножом_ (рыба, нож)
5) Где почта? Почта недалеко от _школы_ (школа).
6) Папа читает _книгу_ _сыну_ ,(книга, сын).
7) Эта книга о _спорте_ ? Нет, это книга о _балете_ (спорт, балет).
8) Где моя _ручка_ ? - Она под _столом_ (ручка, стол)
9) У тебя есть _подруга_ (подруга)?
10) Нет, у меня нет _подруги_, но у меня есть _друг_ (подруга, друг).
11) Я иду в _театр_ , а мой брат уже в _театре_ (театр, театр).
12) Куда ты едешь? - Я еду в _магазин_ (магазин).
13) В _магазине_ я покупаю _хлеб_ и _молоко_ (магазин, хлеб, молоко).
14) Он купил _картину_ _сестре_ (картина, сестра).
15) Я иду _домой_ (дом).

2.Read the story. Define cases of underlined words: (30 pt - 1 each)

nom. _accus._ _accus._ _instr._ _nom._
_Я_ очень люблю _спорт_. Каждый вторник я иду _на стадион_ _с другом_. Там _мы_
accus. _nom._ _nom._
бегаем, прыгаем и играем _в футбол_. Мой _друг_ очень хорошо бегает, а _я_
accus. _accus._ _dat._ _nom._
бегаю плохо, но я неплохо играю _в футбол_. Я пасую _мяч_ _другу_, а _он_ его
nom. _gen._ _nom._ _accus._
ловит. Мой _друг_ стоит _около ворот_. _Он_ - вратарь. Он всегда ловит _мяч_,
accus.
потому что хорошо бегает. Потом мы вместе идём _домой_ и говорим только
prep. _prep._ _nom._ _dat._ _accus._ _nom._
о футболе. _Дома_ _мы_ смотрим _по телевизору_ спортивные _передачи_. _Мама_
gen. _accus._ _accus._
друга всегда говорит, что мы должны не смотреть _телевизор_, а читать _книги_
accus. _prep._ _nom._ _nom._ _accus._
и _журналы_ _о спорте_. Наверное, _она_ говорит правильно. _Мы_ очень любим _спорт_!

3. Correct the errors where necessary: (20 pts - 2 each)

Я даю книгу другу́ᵧ   Расскажи сестре о Чикаго.
Я иду в театр с подругой́ᵧ   Я не вижу собаку́ᵧ дома.
Мы ехали в Москву на̶ самолётом.   Я иду в порту̶
Учитель работает в школеᵉ   Дом стоит под гореᵒᵘ
Это карандаш девочкиᵤ   Это море далеко от городаₐ

Total score _____ out of 100

Grade _____

1.Fill in the blanks with the words given in parentheses; use the proper case forms: *(50 points - 2 each)*

1) Это ручка *внучки*, а это блокнот *внука* (внучка, внук).
2) Чей это портфель? Это *портфель директора* (портфель, директор).
3) Покажи книгу *мальчику* (мальчик).
4) Мы ходили в кино с *другом* (друг).
5) Ты почистил зубы? Я почистил *зубы* *щёткой* (зубы, щётка).
6) Где *банк* (банк) ? - Банк недалеко от *зоопарка* (зоопарк).
7) Папа показывает *картину* *сыну* (картина, сын).
8) Это фильм о *спорте* (спорт)? - Это фильм о *музыке* (музыка).
9) Где моя *бумага* (бумага)? - Она на *столе* (стол).
10) У тебя есть *друг* ? (друг)
11) Нет, у меня нет *друга* (друг), но у меня есть *подруга* (подруга).
12) Я иду в *школу*, а моя сестра уже в *школе* (школа, школа).
13) Куда ты идёшь? - Я иду в *ресторан* (ресторан).
14) В *зоопарке* я вижу *лису* и *слона* (зоопарк, лиса, слон).

2.Read the story. Define the cases of underlined words: *(30 pt - 1 each)*

Я очень люблю музыку *(accus.)*. Каждый понедельник я иду на концерт *(accus.)* с подругой *(instr.)*.

Там мы слушаем классическую и современную музыку *(accus.)*. Моя подруга *(nom.)* очень хорошо играет на пианино *(prep.)*. А я играю на пианино *(prep.)* плохо, но я хорошо играю на гитаре *(prep.)*.

Обычно подруга *(nom.)* играет на пианино *(prep.)*, а я сижу рядом на диване *(prep.)* и играю на гитаре *(prep.)*. Она *(nom.)* всегда играет хорошо, а я *(nom.)* часто делаю ошибки *(accus.)*. Потом мы *(nom.)* вместе идём домой *(accus.)* и говорим только о музыке *(prep.)*. Дома *(prep.)* мы смотрим по телевизору *(dat.)* музыкальные передачи *(accus.)*. Папа *(nom.)* подруги *(gen.)* всегда говорит, что мы *(nom.)* должны не смотреть телевизор *(accus.)*, а читать книги *(accus.)* и журналы *(accus.)* о музыке *(prep.)*. Наверное, он говорит правду *(accus.)*. Мы очень любим музыку *(accus.)*!

3. Correct the errors where necessary: *(20 points - 2 each)*

Я даю карандаш подруг**е**.
Я иду в театр с другой **м.**
Мы ехали в Сиэттл на автобусе.
Доктор работает в клиник**е**.
Эта книга девочк**и.**

Расскажи сестре о Ситк**е**
Я не вижу кошк**у** в парке.
Я иду в порт**у.**
Дом стоит под мост**ом.**
Это озеро далеко от гор**ы**

Total score ____ **out of 100**   **Grade** ____

Часть 4
Контрольная работа 1
(На почте. Текст "Телеграмма")

1. Match the words: *(5 pts - 1 each)*

срочная ——————— телеграмма
ценная ——————— письмо
простая ——————— посылка
заказное ——————— денежный перевод
телеграфный ——————— бандероль

2. Fill in the blanks with the proper words and phrases: *(15 pts - 3 each)*

Я наклеиваю *марку* на письмо. Я бросаю письмо в *почтовый ящик* (1). Я получаю *квитанцию*, когда отправляю посылку. Я *заполняю* бланк, когда отправляю телеграмму. Я пишу *обратный* адрес на письме.

3. Correct the meaning errors where necessary: *(15 pts - 5 each)*

Дайте мне, пожалуйста, мою ценную ~~телеграмму~~ *посылку*. Я хочу наклеить марку на письмо. Где моя срочная ~~посылка~~? Заполните, пожалуйста, ~~адрес~~ *бланк*. Я иду на почту в отдел "Посылки", там моя бандероль. *телеграмма*

4. Translate into Russian: *(65 pts - 5 each)*

a) I need to send a telegram. *Мне надо отправить телеграмму.*
b) Where can I receive a small package? *Где я могу получить бандероль?*
c) Show me your passport, please. *Покажите мне ваш паспорт, пожалуйста.*
d) Here's your receipt. *Вот ваша квитанция.*
e) I don't like to give advice. *Я не люблю давать советы.*
f) I know very well that you speak Russian. *Я прекрасно знаю, что ты говоришь по-русски.*
g) I don't want to help you! *Я не хочу помогать тебе!*
h) I crossed out the address on the telegram. *Я вычеркнул адрес в телеграмме.*
i) I found out that you learn Russian. *Я узнал, что ты изучаешь русский.*
j) I like ice cream very much! *Я страшно люблю мороженое!*
k) Wait for me - I am going! *Подожди меня! - Я иду!*
l) Why did you get offended? *Почему ты обиделся?*
m) This is all in vain. *Это всё зря.*

Total points _____ out of 100

Grade _____

Часть 4
Контрольная работа 2
("Телефон". Текст "Пожар)

1. Complete the sentences: *(24 points - 4 each)*

Если я звоню из Москвы в Санкт-Петербург, то это _междугородний разговор_
Если я звоню из Москвы в Нью-Йорк, то это _международный звонок_
Если я слышу короткие гудки, то это значит _номер занят_
Если у меня нет телефона дома, то мне нужно _звонить из автомата_
Если я не знаю номер телефона, мне нужно звонить в _справочную_
Если номер не отвечает, я слышу _длинные гудки_

2. Place the phrases in order necessary for a telephone call: *(14 pt - 2)*

ждать ответа	_снять трубку_
повесить трубку	_услышать длинный гудок_
услышать длинный гудок	_набрать номер_
набрать номер	_услышать длинные гудки_
услышать длинные гудки опять	_ждать ответа_
снять трубку	_говорить_
говорить	_повесить трубку_

3. If you dial these numbers in Russia, you will reach: *(12 pt - 2 each)*:

01 - _пожарная_   07 - _оператор_
02 - _милиция_   08 - _ремонт телефона_
03 - _скорая помощь_   09 - _справочная_

4. Translate into Russian: *(50 points - 5 each)* ✳

a) I want to book a telephone call with Moscow.
Я хочу заказать переговоры с Москвой.
b) Directory? I need a telephone number for Vadim Bogolepov.
Справочная? Мне нужен номер Вадима Б.
c) Miss, I need to call Seattle, and it's urgent!
Девушка, мне нужно позвонить в Сиэтл, срочно!
d) I am so sorry, but you dialed the wrong number again.
Извините, но вы опять неправильно набрали номер.
e) Why are you yelling? Don't yell!
Почему вы кричите? Не кричите!
f) I am scared! - Don't be afraid, everything is all right!
Мне страшно. – Не бойся, всё в порядке.
g) At last! Is this the ambulance?
Наконец-то! Это скорая помощь?
h) Oh, my God, it's so hot here!
Боже мой! Здесь так жарко!
i) Are you crazy? There's a fire there!
Ты с ума сошёл? Там пожар!
j) Wait for the answer. _Ждите ответа._

Total score ____ out of 100
Grade ____

1. Fill in the blanks with correct words: *(18 points - 2 each)*

а) Где я могу купить ___*билет*___ до Москвы и ___*обратно*___?
б) У стойки номер два начинается *регистрация*
билетов и оформление багажа на *рейс* №50 до Москвы.
в) Пассажиров просят пройти к выходу на *посадку* в самолёт.
г) Гражданин, у вас *лишний вес*, вам нужно доплатить за багаж.
д) Наш самолёт выполняет рейс по маршруту Москва-Владивосток.
Просим вас не *курить* и пристегнуть *ремни*.

2. List names of places and people on the topic "Airport", such as "airport", "passenger", etc.: *(12 points - 2 each)*

аэропорт	*стюардесса*
пассажиры	*самолёт*
пилот	*таможня*

3. Correct the meaning errors where necessary: *(20 points - 4 each)* ✳

а) Чемодан - это ~~ручная кладь~~ *багаж*; б) Я показываю таможеннику мой ~~не курить~~ паспорт, декларацию и багаж; в) В самолёте я слышу объявление: ~~не~~ ✓ ~~спать~~ и пристегнуть ремни; г) Возьмите ~~ваш чемодан~~ *вашу сумку* и идите на посадку в самолёт; д) Я покупаю билет на самолёт в кассе "Аэрофлота".

4. Translate into Russian: *(50 points - 5 each)*

a) I hate flying on airplanes. *Терпеть не могу летать на самолёте.*
b) You may check in your baggage at counter #1.
Вы можете зарегистрировать багаж у стойки №1
c) Here's the customs officer: show him your declaration.
Вот таможенник: покажите ему декларацию.
d) My God, poor Vera! I need to save her!
Боже мой! Бедная Вера! Надо её спасать!
e) If you don't have luggage, it means something is wrong.
Если у вас нет багажа, значит не всё в порядке.
f) Give me my passport, or I will complain!
Дайте мне мой паспорт, или я буду жаловаться!
g) What a nightmare: the flight is delayed again.
Какой кошмар: рейс задерживается снова (опять)
h) Vadim laughed and laughed, again and again.
Вадим смялся снова и снова.
i) What a fool I am! It's the first of April!
Какой я дурак! Это первое апреля!
j) I was looking for my key, and I finally found it.
Я искал ключ, и, наконец-то нашёл.

Total score _____ **out of 100**   **Grade** _____

Часть 4
Контрольная работа 4
(Путешествие на поезде. Текст "Приключение на поезде")

1. Write the words in Russian: *(6 points - 1 each)*

railway _железная дорога_   to see off _провожать_
rails _рельсы_   to meet _встречать_
terminal _вокзал_   porter _носильщик_

2. List all the words describing types of trains and parts of a train: *(20 - 2)*

скорый поезд   вагон
пассажирский поезд   паровоз
электричка   тепловоз
купе   электровоз
полка   поезд

3. Complete the sentences: *(24 points - 3 each)*

а) Внимание пассажиры, на первую _платформу_ второй _путь_ _прибывает_ скорый поезд номер два _из_ Москвы.

б) Внимание, со второй _платформы_ первого _пути_ _отправляется_ поезд номер 1 _на_ Москву.

4. Translate into Russian: *(50 points - 5 each)*

a) Passengers, get your tickets ready, please.
Пассажиры, приготовьте ваши билеты, пожалуй-ста.
b) It was late, and Vadim was late as always.
Было поздно и Вадим, как всегда, опаздывал.
c) The conductor-girl was smiling sweetly.
Девушка-проводник мило улыбалась.
d) In my pocket I had a ticket on a train.
В кармане у меня был билет на поезд.
e) Thank God, you made it all up (thought up)!
Слава Богу, ты всё это придумал!
f) I was sleeping soundly, and didn't hear the mumbling.
Я крепко спал и не слышал бормотание.
g) Where are you going? You need to go the other way!
Куда ты идёшь? Тебе надо в другую сторону.
h) I am going to my mother-in-law "for pancakes". She will be glad!
Я иду к тёще на блины. Она будет рада.
i) The old man was a joker, a babbler, and he was crazy, too.
Старик был шутник, болтун и сумасшедший.
j) It can't be: I have to wait for three days!
Не может быть! Мне надо ждать три дня!

Total score: _____ **out of 100**   **Grade** _____

Часть 4
Контрольная работа 5
(Путешествие на корабле. Текст "Белый теплоход")

1. Write the Russian words for: (12 points - 2 each)

dock	_причал_	storm	_шторм_
white caps	_барашки_	sail	_плыть_
seagull	_чайка_	shipwreck	_кораблекруше-ние_

2. List the words naming types of boats and their parts in Russian: (26 points - 2 each)

пароход   _палуба_
теплоход   _каюта_
корабль   _корма_
лодка   _нос_
судно   _салон_
яхта   _бассейн_
капитанский мостик

3. Correct the meaning errors where necessary: (12 points - 2 each) ✳

1) Место, где пассажиры спят, называется ~~салон~~. _каюта_ 2) Люди, которые ~~работают~~ _плывут_ на корабле называются пассажиры. 3) Круизное судно - это ~~паром~~ _теплоход_. 4) Когда корабль уходит, это значит он отчаливает. 5) ~~Моряки~~ _пассажиры_ - это/туристы. 6) Путешествовать на теплоходе - это очень ~~быстро~~ _медленно_.

4. Translate into Russian: (50 points - 5 each)

a) All my life I have dreamed about traveling on a boat.
Я всю жизнь мечтал путешествовать на корабле.

b) Vera was surprised that people around were talking strangely.
Вера удивлялась, что люди вокруг говорили странно.

c) Please, Vera, don't get lost in the jewelry store!
Пожалуйста, Вера, не заблудись в ювелирном!

d) It was time to go back - the man was a swindler.
Пора было идти назад - мужчина был жулик.

e) I don't think I want to drink.
Что-то не хочется пить.

f) Vadim heard a loud cry on the dock.
Вадим услышал громкий плач на причале.

g) I don't like to demonstrate the knowledge of foreign languages.
Мне не нравится демонстрировать знание языков.

h) It was hot, and Vadim was muttering to himself: "Where is kvas here?"
Было жарко и Вадим бормотал: "Где здесь квас?"

i) I bought tickets on a cruise around Europe - deluxe cabin!
Я купил билеты на круиз вокруг Европы - каюта люкс!

j) I am afraid to travel on a boat - I can't swim.
Я боюсь путешествовать на корабле. Я не умею плавать.

Total score _____ **out of 100**   **Grade** _____

Часть 4
Контрольная работа 6
(В магазине. Текст "Дары Волхов по-русски".)

1. Какие отделы в ГУМе вы знаете? (10 points - 2 each) ✳

обувь   _бельё_

одежда   _игрушки_

ювелирный

2. Напишите правильные слова: (15 points - 3 each) ✳

- Девушка, можно _примерить_ костюм?
- Да, пожалуйста, какой вам нужен _размер_ ?
- Я думаю, 48.
- Вот, пожалуйста... Ну как?
- Костюм _велик_ . У вас есть другой?
- Нет, это _последний_ .
- Очень _жаль_ .

3. Что вы говорите по-русски когда... : (25 points - 5 each)

you want to try the shoes on _Я хочу примерить туфли._
the suit is too small _костюм мал_
the shirt is too big _рубашка велика_
the dress is becoming to you _платье вам идёт_
you need a different size _вам нужен другой размер_

4. Переведите на русский язык: (50 points - 5 each)

1) Vera and Vadim always give each other presents
Вера и Вадим всегда дарят друг другу подарки.
2) Vadim decided to quit smoking
Вадим решил бросить курить.
3) Vadim promised Vera that he would never smoke again
Вадим обещал Вере, что не будет курить никогда.
4) To quit smoking is so simple! _Бросить курить - это просто!_
5) The saleswoman tossed the dress
Продавец бросила платье.
6) GUM is a crazy place: there is only loud noise there
Гум - сумасшедшее место! там шум и гам.
7) What a pretty young girl! _Какая симпатичная девушка!_
8) I don't have any currency _У меня нет валюты._
9-10) Vadim was thinking too hard: what to give Vera for Christmas? (2)
Вадим ломал голову: что подарить Вере
на Рождество?

Total points _____ out of 100

Grade _____

Часть 4
Контрольная работа 7
(В Ресторане. Текст "Этот весёлый Новый Год!")

1. List 5 places where you can eat in Russia: *(5 points - 1 each)*

ресторан   бар   столовая

кафе   закусочная

2. List 10 names of Russian dishes from "Русское Меню": *(20 - 2 each)* ✱

пельмени

окрошка   etc.

квас

3. Answer the questions in Russian: *(25 points - 5 each)* ✱

а) Какой ваш любимый праздник?

Мой любимый праздник - Новый год.

б) Где вы любите отмечать праздники?

Я люблю отмечать праздники дома.

в) Вы любите обедать в ресторане?

Я люблю обедать в ресторане.

г) Что вы любите заказывать в ресторане?

Я заказываю салат, жаркое и фрукты.

д) Какое желание вы любите загадывать на Рождество?

Хочу, чтобы всё было хорошо!

4. Translate into Russian: *(50 points - 5 total)*

a) Let's dine at this restaurant.

Давай поужинаем в ресторане.

b) What would you like to order?

Что вы хотите заказать?

c) Waiter, I want to pay my bill, please.

Официант, я хочу оплатить счёт.

d) Vera is a very good cook (cooks tasty food)

Вера вкусно готовит.

e) Vadim decided to play a joke. Вадим решил сыграть шутку.

f) Allow me to invite you to dance!

Разрешите пригласить вас на танец!

g) The beautiful Snegurochka agreed to dance with Vadim.

Прекрасная Снегурочка согласилась танцевать с Вадимом.

i) It was simply impossible to recognize me!

Узнать меня было просто невозможно!

j) Vadim was happy and in love! Вадим был счастлив и влюблён.

h) How frustrating: beautiful Snegurochka disappeared!

Как обидно: прекрасная Снегурочка исчезла!

Total score _____ out of 100   **Grade _____**

Supplement 3

Вопросы для устного экзамена - Questions for final oral exam

Beginning Level

О себе	About myself	Ответы/Answers
Как вас зовут?	What is your name?	
Сколько вам лет?	How old are you?	
Где вы учитесь?	Where do you study?	
Что вы изучаете в школе?	What do you study at school?	
Вы работаете? Где?	Do you work? Where?	
Что вы любите?	What do you like?	
Вы любите спорт? Кино? Музыку?	Do you like sports? Movies? Music?	
Какой ваш любимый спорт? Фильм? Музыка?	What is your favorite sport? Film? Music?	
Кто ваш любимый спортсмен? Актёр? Музыкант?	Who is your favorite sportsman? Actor? Musician?	
Что вы любите делать в свободное время?	What do you like doing at your free time?	
У вас есть семья? Кто у вас есть?	Do you have a family? Who do you have?	
У вас есть друг? Как его/её зовут? Сколько ему лет? Что он любит?	Do you have a friend? What is his/her name? How old is he/she? What does he/she like?	
У вас есть кот или собака?	Do you have a cat or a dog?	
Что вы собираете?	What do you collect?	

Моя семья	My Family	Ответы/Answers
Ваша семья большая или маленькая?	Is your family big or small?	
Кто у вас есть в семье?	Who do you have in your family?	
Сколько человек у вас в семье?	How many people are in your family?	
Как зовут маму? Сколько ей лет?	What is your mother's name? How old is your mother?	
Кто мама по профессии? Где она работает?	What is your mother's occupation? Where does she work?	
Как зовут папу? Сколько ему лет?	What is your father's name? How old is your father?	
Кто папа по профессии? Где он работает?	What is your father's occupation? Where does he work?	
Что любит папа?	What does your father like?	
Что любит мама?	What does your mother like?	
У вас есть братья или сёстры?	Do you have brothers or sisters?	
Как зовут брата (сестру)?	What is your brother's (sister's) name?	
Сколько ему (ей) лет?	How old is he (she)?	
Где учится или работает брат (сестра)?	Where does your sister (brother) work?	
Что любит брат (сестра)?	What does your brother (sister) like?	
Где вы живёте?	Where do you live?	
Вы любите вашу семью?	Do you love your family?	

Мой день	My Day (daily schedule)	Ответы/Answers
Когда вы просыпаетесь?	When do you wake up?	
Когда вы завтракаете? Что вы едите на завтрак?	When do you eat breakfast? What do you eat for breakfast?	
Когда вы идёте в школу (на работу)?	When do you go to school (work)?	
Что вы изучаете в школе?	What do you study at school?	
Когда вы обедаете? Где вы обедаете? Что вы едите на обед?	When do you eat lunch? Where do you eat lunch? What do you eat for lunch?	
Когда вы идёте домой?	When do you go home?	
Вы работаете? Где вы работаете?	Do you work? Where do you work?	
Когда вы идёте на работу?	When do you go to work?	
Что вы делаете после школы (работы)?	What do you do after school (work)?	
Когда вы делаете уроки?	When do you do homework?	
Когда вы отдыхаете?	When do you relax?	
Что вы делаете вечером?	What do you do at night?	
Вы смотрите телевизор вечером?	Do you watch TV at night?	
Вы читаете книги и газеты?	Do you read books and newspapers?	
Вы слушаете музыку?	Do you listen to music?	
Когда вы ужинаете? Что вы едите на ужин?	When do you eat dinner? What do you eat for dinner?	
Когда вы идёте спать?	When do you go to bed?	

Мой дом	My House	Ответы/Answers
Где вы живёте?	Where do you live?	
Ваш дом большой или маленький?	Is your house big or small?	
Сколько комнат в вашем доме?	How many rooms are in your house?	
У вас есть гостиная комната?	Do you have a living room?	
Что у вас есть в гостиной комнате?	What do you have in the living room?	
У вас есть кухня?	Do you have a kitchen?	
Что у вас есть в кухне?	What do you have in the kitchen?	
У вас есть ванная?	Is there a bathroom?	
Что у вас есть в ванной?	What do you have in the bathroom?	
У вас есть кабинет?	Do you have an office?	
Что у вас есть в кабинете?	What do you have in your office?	
У вас есть спальня?	Do you have a bedroom?	
Что у вас есть в спальне?	What do you have in your bedroom?	
У вас в доме есть телефон?	Do you have a telephone in the house?	
У вас в доме есть телевизор?	Do you have a TV-set?	
У вас есть горячая и холодная вода?	Do you have hot and cold water?	
У вас в доме есть электричество или газ?	Is there electricity or gas in your house?	
У вас есть сад?	Do you have a garden?	
Что у вас есть в саду?	What do you have in the garden?	
Вам нравится ваш дом?	Do you like your house?	

Intermediate and Advanced Levels

(Include all questions above)

Моя школа	My school	Ответы/Answers
Как называется ваша школа?	What is school's name?	
Где находится ваша школа?	Where is your school located?	
Ваша школа большая или маленькая?	Is your school big or small?	
Сколько студентов учится в вашей школе?	How many students are in your school?	
Какие уроки есть в вашей школе?	What classes are offered in your school?	
Какие предметы вы изучаете в школе?	What classes do you take?	
Какие уроки вы любите?	What classes do you like?	
Какие уроки вы не любите?	What classes do you dislike?	
Какой ваш любимый класс?	What is your favorite class?	
Какие интересные кружки есть в вашей школе?	What interesting activities (sections) are in your school?	
В вашей школе есть спортивные секции?	Are there sport sections in your school?	
В вашей школе есть драмкружок?	Is there a drama section in your school?	
В вашей школе есть кружок живописи?	Is there an art section in your school?	
Какой ваш любимый кружок?	What is you favorite section?	
Вам нравится ваша школа?	Do you like your school?	

Каникулы	Vacation	Ответы/Answers
Что вы любите делать летом, когда у вас каникулы?	What do you like doing in the summer when you are on vacation?	
Что вы любите делать зимой, когда у вас каникулы?	What do you like doing in winter when you are on vacation?	
Как вы любите отдыхать летом?	How do you like spending your time in the summer?	
Где вы любите отдыхать летом?	Where do you like to spend time in the summer?	
Как вы любите отдыхать зимой?	What do you like doing in the winter?	
Где вы любите отдыхать зимой?	Where do you like to spend time in winter?	
Вы любите ловить рыбу?	Do you like fishing?	
Вы любите ходить в походы?	Do you like hiking?	
Вы любите отдыхать в лагере?	Do you like camping?	
Вы любите кататься на лыжах?	Do you like skiing?	
Вы любите кататься на коньках?	Do you like skating?	
Вы любите загарать на пляже?	Do you like sun tanning?	
Вы любите купаться и плавать в море?	Do you swimming in the sea?	
Вы любите летать на юг?	Do you like to go south?	
Что ещё вы любите делать, когда у вас каникулы?	What else do you like doing when you are on vacation?	

Искусство	Art	Ответы/Answers
Вам нравится искусство?	Do you like art?	
Какой вид искусства вам нравится? Вам нравится театр? Музыка? Живопись? Кино?	What kind of art do you like? Do you like theater? Music? Painting? Movies?	
Кто ваш любимый композитор (музыкант)?	Who is your favorite composer (musician)?	
Кто ваш любимый писатель (поэт)?	Who is your favorite writer (poet)?	
Кто ваш любимый актёр (актриса)?	Who is your favorite actor (actress)?	
Кто ваш любимый художник?	Who is your favorite artist?	
Какая музыка вам нравится: классическая или эстрадная?	What kind of music do you prefer: classical or contemporary?	
Вы любите оперу или балет?	Do you like opera or ballet?	
Какая живопись вам нравится: масло или акварель?	What kind of painting do you like: oil or watercolors?	
Какие картины вам больше нравятся: пейзажи, портреты или натюрморты?	What paintings do you like more: landscapes, portraits, or still life?	
Какие спектакли вам больше нравятся: драма, комедии или трагедии?	What plays do you like more: drama, comedy, or tragedy?	
Какие фильмы вам нравятся: фантастика, драма или боевики?	What films do you like: science fiction, drama, or action?	
Какой ваш любимый фильм?	What is your favorite movie?	
Какие передачи вы любите смотреть по телевизору?	What TV programs do you like?	

Русские деятели искусства	Russian Artists	Ответы/Answers
Каких русских композиторов (художников, музыкантов) вы знаете?	What Russian composers (artists, musicians) do you know?	
Кто ваш любимый русский композитор (художник, музыкант)?	Who is your favorite Russian composer (artist, musician)?	
Где и когда он жил?	Where and when did he live?	
Что он написал?	What did he write?	
Какие его работы вы знаете?	Which of his works/pieces do you know?	
Почему он знаменитый?	Why is he famous?	
Почему он вам нравится?	Why do you like him?	
Какая его музыка (картины) вам нравятся и почему?	Which of his music (paintings) do you like?	
Кто такой Пётр Чайковский? Что он написал?	Who is Pyotr Tchaikovsky? What did he write?	
Каких русских писателей и поэтов вы знаете?	Which Russian writers and poets do you know?	
Кто такой Антон Чехов? Что написал Чехов?	Who was Anton Chekhov? What did he write?	
Кто такой Лев Толстой? Что написал Толстой?	Who was Leo Tolstoy? What did he write?	
Какие русские сказки и стихи вы знаете?	What Russian tales and poems do you know?	
Какие русские книги вы читали?	What Russian books did you read?	
Какие русские фильмы вы смотрели?	What Russian movies did you see?	

Русская история и география	Russian history and geography	Ответы/Answers
Что вы знаете об истории России?	What do you know about Russian history?	
Какие этапы в истории России вы знаете?	Which stages in Russian history do you know?	
Какие исторические имена и фигуры вы знаете? Почему они знамениты?	What historic names and figures do you know? Why are they famous?	
Какие города (реки, озёра, горы) России вы знаете?	What cities (rivers, lakes, mountains, etc) in Russia do you know?	

Мой город и штат	My City and State	Ответы/Answers
Как называется ваш город? Штат?	What is the name of your city/state?	
Где находится ваш город?	Where is your city located?	
Какие интересные места есть в вашем городе?	What places of interest are in your city?	
В вашем городе есть театры и кинотеатры?	Are there theaters in your city?	
В городе есть зоопарк? Музей? Парки?	Is there a zoo, a museum, or parks?	
В городе есть стадион? Каток? Бассейн?	Is there a stadium, an ice rink, or a pool?	
В вашем городе есть школы/ университеты? Библиотеки?	Are there schools in your city? Are there libraries?	
Какая природа/погода в вашем городе (штате)?	What kind of nature/scenery/weather is in your city/state?	
Вы любите ваш город?	Do you like your city?	

References and Bibliography

Asher, James J. 1972. Children's first language as a model for second language learning. The Modern Language Journal 56, 3: 133-139.

Asher, James J. 1996. Learning Another Language Through Actions: The Complete Teacher's Guidebook. 5th ed. Los Gatos, CA: Sky Oaks.

Garcia, Ramiro. 2001. Instructor's Notebook: How to Apply TPR For Best Results. 4th ed. Los Gatos, CA: Sky Oaks.

Lelchuk, Janna L. 2000. "I Want To Speak Russian!" Textbook. 2nd ed. Juneau, AK: Pacific Exchange Books.

Lelchuk, Janna L. 2000. "I Want To Speak Russian!" Teacher Manual. Juneau, AK: Pacific Exchange Books.

Seely, Contee & Romijn, Kuizenga. 1998. TPR is More Than Commands - At All Levels. 2nd ed. Berkeley, CA: Command Performance Language Insitute.

Василенко Е.И., Добровольская В.В. Методика преподавания русского языка иностранным учащимся. МГУ, 1989.

Венедиктова Н.К. Вопросы обучения русскому языку иностранцев на начальном этапе обучения. АДД, Москва, 1997.

Пассов Е.И. Основы методики обучения иностранным языкам. Москва, Русский язык, 1977.

Пассов Е.И. Программа-концепция коммуникативного иноязычного образования. Москва, Просвещение, 2000.

Рогова Г.В. Методика обучения английскому языку. Москва, Просвещение, 1983.

Соболева В.С. Основные направления в обучении русскому языку в США. АКД, Москва, 1976.

Преподавание русского языка как иностранного. Традиции и перспективы. Сборник научных трудов, СПГУ, Санкт-Петербург, 1999.